● 世界文学名著宝库 ●

·青少版·

# 七侠五义

原著：石玉昆

改写：晨起望

上海人民美术出版社

**图书在版编目（CIP）数据**

七侠五义 / （清）石玉昆著；晨起望改写. —上海：上海人民美术出
版社，2002.8（2008.6 第 4 版）

（世界文学名著宝库）（0912766）

ISBN 978-7-5322-3299-4

I. 七… II. ①石…②晨… III. 章回小说-中国-清代-改写本

IV. I242.4

中国版本图书馆 CIP 数据核字（2002）第 063458 号

## 七侠五义——世界文学名著宝库丛书

绘画：曹 洋　　效果制作：李劲松

改写：晨起望　　责任编辑：邵 旻

上海人民美术出版社出版发行

全国新华书店经销　　深圳市鹰达印刷包装有限公司印刷

开本：880×1230　1/32　黑白印张：8.25　彩插：14P

2010 年 2 月第 4 版第 3 次印刷

ISBN 978-7-5322-3299-4

定价：14.00 元

# 前　言

　　宋朝仁宗年间，江湖上出现了一批以南侠展昭、北侠欧阳春、五鼠等为首的侠义之士。他们在开封府包大人的带领下，惩恶扬善，除暴安良。面对以襄阳王赵珏为首的乱臣贼子和江湖败类，他们舍生忘死，替天行道，先后除庞煜、捉姜冲、斩马强、收钟雄，最后智定军山，为最终粉碎襄阳王的谋反野心打下了基础。

　　七侠五义的故事在民间广为流传，最早出现的是由清代无名氏根据说书艺人石玉昆说唱的《龙图公案》及其笔录本《龙图耳录》进行编写的长篇侠义公案小说《忠烈侠义传》。后文经人改写成《七侠五义》。本书正是对七侠五义的英雄事迹侠义之举的部分记录。从书中亦可一窥宋朝时期的中华风貌，以及传说中的包青天秉公执法的断案风采。

　　这套世界文学名著宝库在读者和社会各界人士的关爱下已走过了三个年头，为感谢大家对我们的支持和鼓励，也为了使本书更为完善，特进行重新修订，力争以全新的面貌展现在读者面前，希望得到更多人士的喜爱！

编者<br>2005 年 1 月

# 目 录

# 第一章 路见不平

阳春三月，草长莺飞，江南正是好风景。杭州西湖此时游客如织，川流不息。断桥上，来来往往的人流中，站立着一位年轻人，格外引人注目。此人头戴宝蓝缎子扎巾；白护领、白水袖，内衬箭袖袍，外罩英雄氅；脚蹬青缎薄底快靴，面似银盘，五官端正。阳光洒在他的身上，反射出一层浅浅的光芒，微风拂过他光洁的额头，头巾随风轻轻摆动，好一位英雄少年！

这位年轻人手搭凉棚，远望西湖，只见西湖上碧波荡漾，白帆点点，风景如画，直比天堂。看得这位年轻人不禁心旷神怡，怡然陶醉。正在此时，远处突然跑来一位老者。这位老者须发花白，看年纪也有六十多岁了。老者一边跑，一边喊着：

"冤枉啊！冤枉啊！我老汉一生行善积德，从未做过坏事，为什么还要落得这样一个下场！为什么好人不长命，坏人活千年啊！"喊叫间，老者就跑到了断桥下。老者看了看湖水，猛然把脚一跺，"扑通"跳了下去。

这可不得了，把桥上的年轻人吓了一大跳，年轻人立刻大喊起来：

"救人啊！救人啊！快来救人啊！有人跳湖了！"

当时正是旅游旺季，西湖的游客颇多，立刻便围上了百十号人。可是，都围着，没人动。年轻人急了，为什么呢？因为他不会游泳，不然他自己早就跳下去了，别人又不动，眼看着老者就要淹死了。年轻人灵机一动，掏出一块银子，足有二十多两，冲着围观的人们一举：

"哪位朋友能把老者救上来，我立刻把这锭银子送给他。"

这边话音刚落，那边已经"扑通"、"扑通"跳下去十来个人了。"重赏之下，必有勇夫"，此言果然不假。众人一起望着湖面，等了片刻，下水救人的人都冒出了头，但却不见那老者。年轻人一看，完了，那老者八成已经喂了湖里的鱼了。

就在此时，西湖上来了一只船。这只船可非比寻常，两头尖，中间大，船底刷着红漆。船上坐着八名水手，齐声呐喊，运桨如飞。那船在水面上行进，如同飞一般，转眼便来到了众人眼前。船头还站着个渔郎，光着膀子，赤着双脚，眉清目秀，鼻子是鼻子，眼睛是眼睛，怎么看怎么舒服。他冲着众人高声问道：

"那位投湖的老者可是从这里跳下去的？"

年轻人一看，这位准是来救人的，十分高兴，连忙说：

"没错，就是这里，快快救他吧！"

渔郎一听，立刻双脚一点船头，"噌"地蹦起来有一丈多高，然后，在空中翻了个身，头朝下，双手前伸，两腿绷直，如箭一般就插入水中。时间不长，湖面水花翻动，只见他夹着那个老者，浮出了水面。

众人七手八脚将老者拖上了岸。只见他的肚子已经圆滚滚的，喝足了水。人已经双目紧闭，昏迷不醒，不知是死是活了。

那渔郎也上了岸，分开众人，来到老者身旁。他蹲下身去，双手轻轻抚摸着老者的肚子，看着也没用什么力气，却见老者突然咳嗽起来，嘴里、鼻子里开始哗哗地向外流水。里面还有两条小鱼也跟着流出。渔郎又将老者翻转过来，拍打后背，将水空净。过了好久，老者才醒转过来。

谁知那老者刚刚恢复了知觉，竟又号啕大哭起来，一边挣扎着起身向岸边走去，一边哭喊道："你们为什么要救我啊，让我死了算了，我是生不如死啊！"年轻人和那渔郎都有些不解，拉住那老者。年轻人问道：

·3·

"老人家，有什么事想不开，你可以和大家说说，看看我们能不能帮你。蝼蚁尚且偷生，为何一定要寻死呢？"

老者涕泪横流："谢谢众位救命之恩，但你们帮不了我啊！还是让我死了算了。"

那渔郎说道："大路不平有人踩，天下人管天下事，老人家你有什么委屈尽管说出来，大家想想办法，也许能帮到你呢！"

老者看看渔郎，又看看年轻人，觉得两位相貌忠厚气宇不凡，寻思兴许能帮上忙呢，便把事情说了出来。

原来这位老者名叫周善，在杭州城内最热闹的天竺大街经营周家茶楼。这座茶楼在杭州城内颇有些名气，打他父亲那辈就开张做生意了，算得上杭州的老字号之一了。周善夫妻共生了五个孩子，都是女儿。前四个已经嫁了，只留下了一个小女儿还在身边。有一年冬天，天气异常寒冷，大雪不断。有一天早上，周善起来开门营业，发现门口躺着一个人，已经四肢僵硬，牙关紧咬，昏迷不醒了。老头连忙招呼伙计，将他抬入家中。

经过一番抢救，此人苏醒过来。询问之下，才知道事情前后。原来，此人是湖北人氏，名叫郑新。自幼父母双亡，随舅父长大。此次进京赶考，未能金榜题名，回来的路上，又遇上了劫匪，盘缠被抢走，衣服也被掳走。几天都没有饭吃了，又碰上大雪，最后昏死在茶楼门口。多亏了老人家相救，不然已经走在黄泉路上了。

周善听罢，十分同情他，就将他留下打个帮手，管吃管住，每月还给五两银子。郑新自然十分乐意，干起活来倒也十分卖力。后来日子久了，周善就将自己的小女儿许配给了郑新。一家人过得和和美美，外人没有不羡慕的。又过了一年，小女儿生了大胖小子，一家人更是喜上眉梢。可没想到，没过多久孩子就得了怪病，死了。孩子她妈思儿心切，忧虑成疾，没过多久，也撒手人寰。周善的老伴又想女儿又想外孙，没过多久，也与世长辞了。好好的一个家，没过多久，就剩下周善和郑新了。

两个光棍过日子，难处太多了。周善就张罗着帮郑新又娶了一房媳妇，姓黄。知人知面不知心呐，没想到黄氏不是个好东西。过门才一年，就开始排挤周善，尽给郑新出坏点子。开始的时候，郑新还挺有良心，劝黄氏，要是没有人家当年好心收留，哪有我的今天。可是架不住老婆的枕边风不断地吹，渐渐地也开始对老头横挑鼻子竖挑眼了。又过了不久，两人又想出一条毒计，准备将老人赶走。他们先是花钱买通了杭州的知县和文武衙门，然后又假意对周善好言好语赔礼道歉，并劝周善将茶楼改名，这样在老人百年之后，两人也好有个栖身之所。不然，老人走了后，周家的人来要回茶楼，两人就没有地方住了。老人心软，就将周家茶楼改名成了郑家茶楼，并到官府立了字据。

可没想到，打那以后，两人对老人变本加厉穷凶极恶，天天摔锅砸碗指桑骂槐。后来干脆将老人赶出了家门。老人一怒之下，告上了衙门。但衙门早被郑新买通，再加上字据上写明了这是郑家的产业。结果老人不但没有讨回公道，还被重打了二十大板，收监半年。半年之后，老人被放了出来，想想自己举目无亲、生不如死，所以才冲到了西湖边上投湖自尽。

年轻人和渔郎听罢，不禁火冒三丈、怒目圆睁。天下还有这等不仁不义之徒！年轻人问道：

"那郑新现在何处？"

"还在郑家茶楼。"

"那黄氏呢？"

"也在那里，两人过得好的很呢！"

渔郎听罢，眉头一皱，计上心来，他对老者说道：

"老人家，你如果就这样死去，岂不是让他们二人快活逍遥了吗？你可以在郑家茶楼附近再买一所房子，重新开始，凭你的人缘儿，包管用不了多久，就可以挤垮郑家茶楼。"

"这位恩公，你的话是没错，但谈何容易啊！少说也要五百两银子做本。我现在连吃饭都成问题，哪还有钱开茶楼啊！"

年轻人立刻说道：

"老人家，我给你银子。不过我现在没有带在身上，明天即可给你。"

那渔郎也立刻说道：

"老人家，我来负责给你银子。这样吧，明天此时，还在此地，我们还在这里相见。到时我送上五百两银子。"

年轻人看了渔郎一眼，正巧渔郎也看了年轻人一眼，两人相视一笑心照不宣。年轻人掏出十两银子给了老者，让他先去找个地方歇息。原来老者还有些将信将疑，但看到年轻人真的掏出了银子，想想也没有别的出路，不如明日再来此处，看看如何，再做打算。当下谢过，就走了。

年轻人冲渔郎一拱手，转身便走了。那渔郎望了望年轻人的背影，嘴角也挂上了一丝微笑。

天竺大街是杭州最繁华的大街之一，而郑家茶楼就坐落在天竺大街上最热闹的地段。两层的楼房，油漆彩面，十间门面，客人不断地进进出出，生意十分兴隆。楼下进门处是一张栏柜，栏柜上贴着张字条，上书"日进斗金"。栏柜后面的椅子上坐着个大白胖子。此人脑门锃亮，鼻头放光，两个大腮帮子鼓着，一手翻着账簿，一手打着算盘，好不自在。

这时，走进了一位年轻人。此人相貌英俊气宇不凡，正是在西湖断桥出银相救周善的年轻人。看见他进来，那白胖子连忙站了起来：

"大爷，您喝茶吧，来，楼上请！"年轻人也没说话，直接上了二楼，随便找了张桌子就坐了下来。立马，伙计就上来招呼了：

"客官，你要点什么，请吩咐！"

"来壶龙井吧！"

"好的，您稍等！龙井一壶！"伙计喊着，下楼去拿茶了。时间不长，伙计手端茶盘，送到了年轻人的面前，随后将茶倒上。

"客官，您还有什么吩咐，尽管说。"

"我且问你。我原来记得这里叫周家茶楼，怎么现在变成郑家茶楼了？"

"不错，原来这里是叫周家茶楼，不过现在掌柜换成姓郑的了，所以改成郑家茶楼了。"

"噢，楼下的那个白胖子就是你们掌柜了？"

"没错，那就是我们新东家，叫郑新。"

"后面那屋是哪里啊？"年轻人指了指后院的小楼。

"那是我们掌柜的内宅。"

正说话间，"噔噔噔"，从楼梯走上一人来。年轻人一看，原来正是救周善的那位渔郎。只不过，此时他已经换了一身穿戴，不再赤膊裸足了。

年轻人正要向那位渔郎打招呼，却见他一使眼色，自己找了张桌子坐了下来。伙计连忙跑了过去。

"客官，您要点什么？"

"来壶龙井吧。"

时候不长，伙计也给送上来了。渔郎拉住伙计问道：

"我且问你。我原来记得这里叫周家茶楼，怎么现在变成郑家茶楼了？"

"不错，原来这里是叫周家茶楼，不过现在掌柜换成姓郑的了，所以改成郑家茶楼了。"

"噢，楼下的那个白胖子就是你们掌柜了？"

"没错，那就是我们新东家，叫郑新。"

"后面那屋是哪里啊？"渔郎指了指后院的小楼。

"那是我们掌柜的内宅。"

伙计这个纳闷，怎么这两位点的茶一样，问的问题也都一样，真是奇怪。正纳闷呢，那渔郎"啪"放下一块银子："结账。"

伙计更加纳闷了，这茶还没喝呢，怎么就结账了？

年轻人一看，也把账结了，离开了郑家茶楼。

　　转眼到了晚上，夜深人静之时。一条黑影来到了郑家茶楼前，他向四下打量了一下，随即来了个"旱地拔葱"，一翻身，上了房。"蹭蹭蹭"，没几下，就来到了后楼房顶。随即使了个"倒卷帘"，脚挂屋檐，身子探了下来。此人非别人，正是那位年轻人。他用舌尖轻舔窗纸，又用手指轻轻一戳，便在窗户上开了个小洞。年轻人往里望去。只见屋内宽敞明亮，正中央摆着一张桌子，上面放着山珍海味美酒佳肴，桌子前坐着两个人，不用说，正是那郑新和黄氏。两人并没有享用那美酒佳肴，而是在喜滋滋地数着面前堆着的一大堆银子。只听那郑新说道：

　　"前几天，我和五聚德茶庄的王掌柜做了笔买卖，刚一倒手，就赚了纹银五百两，夫人，你看！"

　　那黄氏早就乐得嘴都合不拢了，抱着银子都舍不得放。两人把玩了一会，黄氏说道：

　　"快，把银子收起来吧。时候不早了，我们再喝会酒，就上床休息吧。"

　　郑新将桌上的银子收拾齐整，拎着来到了西墙的一幅画前。他将画撩开，露出了画后的一个壁柜。掏出钥匙，打开壁柜，将银子放了进去。又将壁柜锁好，将画放下。两人继续饮酒作乐。

　　年轻人心想，要想拿到这银子，非得调虎离山不行。有了！年轻人一个鹞子翻身，隐入黑暗之中。

　　郑新和黄氏正在饮酒作乐，突然一个丫鬟跑了进来：

　　"老爷，夫人不好了，柴房着火了！"

　　郑新和黄氏一听大惊失色，连忙跑了出去，连门都顾不上关了，赶紧招呼伙计丫鬟一起灭火。他们走了没多久，那个年轻人就回来了，刚要进屋，突然发现窗口前还有一个身影，连忙一俯身，趴了下来。只见那个身影轻轻拉开窗户，一纵身便跳了进去。年轻人借着屋里的灯光一看，原来正是那渔郎。

　　只见那渔郎不慌不忙，来到桌前，先吃了两口肉，喝了两口酒，才转身将墙上的暗柜打开，将里面的银子尽数取出，包成包裹，扬长而去。年轻人心中不禁哭笑不得，心说您好歹也给我留点啊，火是我放的，最后好人都让你给做了。

　　正寻思着呢，郑新和黄氏回来了。只见两人满面尘灰，头发凌乱、气喘吁吁。不用说，都是忙着灭火给累的。两人回到屋中，还没有坐定，就看到了被打开的暗柜。这下可把郑新给吓了一大跳。他睁大了眼睛，张大了嘴巴，怎么也不敢相信眼前所看到的一切。

　　黄氏一看，更是"扑通"一声就晕倒在地。郑新一看，急了，连忙招呼丫鬟，扶起黄氏，又是捶胸又是抚背，好不容易才使得黄氏醒转过来。黄氏睁开眼睛，就放声大哭。郑新连忙劝慰道："别哭，别哭。钱财乃身外之物，没有了可以再挣，别哭坏了身子。"

·9·

　　黄氏哭道："你说的容易，五百两银子呢！"

　　郑新说道："没有关系，我那里还有点积蓄，大约有一千多两呢，装在一个坛子里，就埋在楼梯下面。"黄氏一听，破涕为笑："真的？"

　　"那还能骗你，不信，我带你去看看。"两人急忙打着灯笼，带着丫鬟，来到了楼梯下。掌灯一看，完了，坛子已经给人挖了出来，银子依然也一两不剩了。不用说，准是那位年轻人刚刚下的手脚。

　　"扑通"、"扑通"，郑新和黄氏双双晕倒。

　　第二天，旭日东升。年轻人准时来到了断桥。大老远一看，周善已经站在桥上等了。年轻人快步上前，将银子交给了周善。

周善也不清点，"扑通"就给年轻人跪下了。年轻人连忙扶起周善，两人正在说话间，那位渔郎也来了。他冲年轻人和周善一抱拳，随后就将一口袋银子放在地上。周善已经感动得不知道说什么好了。正在此时，突然从人群中冲出几名衙役，二话不说，一把将周善揪住，说道：

"好你个周善，刚刚出狱，竟然敢勾结江洋大盗，夜入民宅，强取豪夺。走，跟我去官府！"一边说着，一边拿出锁链，将周善锁牢。原来那郑新和黄氏天一亮就到官府去报案了，所以县衙一早便派出了人手四处打探，这不，正好碰上了。

周善此时早已吓的魂飞魄散，连忙申辩道："大老爷，这些银子不是小人偷来的，是这两位爷给的。"

"哪两位爷？在哪里啊？"

周善一转头，发现那位渔郎已不知踪影，只有那年轻人还站在身边。周善面带难色，不认吧，眼看自己又要被抓进大牢，认吧，又觉得对不住这位恩公。那年轻人看出了周善的为难，冲着衙役一拱手：

"银子是我给周老先生的，请不要为难他。有什么事，我和你去对质公堂。"衙役一看此人气度不凡，料想非等闲之辈。转念一想，一并带走，也算是交了差了。便把周善和年轻人一起带到了县衙。

过了一会，知县升堂。那知县姓吴，只见他坐定身形，将惊堂木一拍，厉声喝道：

"来呀，将两个强盗带上堂来！"

周善和那年轻人都被带了上来。周善已经不是第一次看到吴知县了，当时"扑通"一声就跪倒在地。那年轻人却依然笔直地站立着，丝毫没有将知县大人放在眼里。

吴知县不禁火冒三丈，一拍惊堂木：

"哒！你是何人，为何见了本官还不下跪？"

只见那年轻人不慌不忙，从身上掏出一件东西，"啪"地一声扔在吴知县眼前。吴知县定睛一看，顿时傻了眼了。那是一张开封府的龙边信票。上边盖着两颗大印，顶上是皇上的国宝玉玺，下边是开封府正堂的大印。上面还写着一行字："开封府四品带刀御前护卫展昭"。

原来此人非是旁人，正是人称"南侠"皇上御赐"御猫"的展昭展雄飞。展昭是四品官员，而知县不过是小小的七品。吴知县立马站起身来，哆哆嗦嗦走到展昭面前，颤颤悠悠地对展昭说道：

"展大人，请恕小的不知之罪，您请上座，请上座。"

展昭眼睛一瞪："不必客气，我今天来，就是想听听你审案。你要审得清楚公正，倒还好说，如果冤枉好人包庇坏人，到时我自会禀明包大人。"说完，坐在了旁边。

话已经说到了这个份上，吴知县就算吃了熊心豹子胆也不敢再胡作非为了。吴知县这才二次升堂。

# 第二章 三侠聚会

吴知县先命衙役将周善的枷锁去掉，这才问道：

"你将事情如实禀告，本县自会与你做主。"

周善看看吴知县，又看看展昭，展昭冲他点点头。周善这才壮起胆子，将事情的前后经过诉说了一遍。知县听罢，立刻命人将郑新、黄氏带到了公堂。

郑新和黄氏刚来到公堂上，仗着已经贿赂过知县了，还颇为理直气壮。后来发现气氛不太对劲，吴知县一拍惊堂木：

"郑新，你是怎样来到杭州，周善是怎样搭救你，你又怎样变了良心，谋人家业，还不从实招来！"

郑新一看，知道跑不掉了，当下便把实话都说了。红笔师爷录完了口供，让郑新签字画押。黄氏也不敢不招，也老老实实地将自己所做过的错事供认不讳，签字画押。吴知县看看差不多了，偷银子的事必是展昭所为，也就不必再追问了，当下判决：

"郑家茶楼立即改回周家茶楼，全部财产归还周善。郑新忘恩负义恩将仇报，本应重罚，但念你认罪态度较好，来人，拉下去，重打一百棒，判处徒刑九年。黄氏身为妇道人家，不知孝顺长辈，反而无事生非谋财害人，来呀，掌嘴二十，收监入狱！"

郑新和黄氏一听，当下便瘫软如泥倒在了地上。此时，周善爬了过来，不住地磕头求情。吴知县一看，也乐得做个人情，吩咐郑新和黄氏一定要好好照顾周善，如有不周，重罚不饶。两人谢过知县，搀着老人，回家去了。

展昭一看此事已了，和吴知县告了别，当下也离开了衙门。刚走出没多远，便碰到了那位渔郎。那位渔郎满脸堆笑，拱手道：

"展老爷，小的久闻展老爷古道热肠义薄云天，今日得见，果然名不虚传！"

"仁兄过奖了。敢问仁兄高姓大名？"

"小弟不才，在下丁兆蕙是也。"

展昭一听，不禁肃然起敬：

"怪不得仁兄不仅行侠仗义，而且艺高人胆大，原来是赫赫有名的双侠之一的丁少侠。久仰久仰。"

"展老爷若是有兴，可否到府上一坐。我哥哥也很想见您呢。"

南侠对双侠也是倾慕已久，有此机会，自然再好不过。当下，随着丁兆蕙前往丁家庄。

这丁氏双侠住在茉花村，此村三面环水，一面朝陆，归松江府花亭县代管。兄弟两人，老大叫丁兆兰，老二就是丁兆蕙。在江湖上这双侠也是颇有些名气的。南侠随着丁兆蕙坐着船，一路疾驶，离开了西湖。直驶到了日头偏西，才到了那茉花村。

下得船来，丁兆蕙带着南侠就往村子里走。南侠仔细观察着这村子，只见白沙铺路，树木整齐。每棵树下还站着一个彪形大汉，手持鱼叉，威风凛凛。走不多时，他们来到了一所宅子前。南侠抬眼一看，只见青石地基，铺砖到底，大墙高足有丈五，红漆大门，九磴石头台阶，门前一对石头狮子，大门左右，还站着八个彪形大汉，甚是气派。门中迎出一人来，此人个头比丁兆蕙稍高一些，面如冠玉，细眉朗目，华服裹身，腰挎宝剑，与丁兆蕙长得极为相似。不过举止更为文雅，不似丁兆蕙那般冒失。不用问，这位就是丁兆兰了。

丁兆兰走到展昭面前，一拱手：

"展老爷，在下丁兆兰，有失远迎，还望恕罪。"

展昭也挺身施礼，连忙说道：

"哪里哪里，在下展昭，打扰了。"

"展老爷太客气了，您能来寒舍，真是令寒舍蓬荜生辉啊！来，里面请。"

"请！"

说话间，主客都进了屋。用了茶水，寒暄过后，便开席设宴，展昭坐在中间，丁氏兄弟左右作陪。酒过三巡之后，丁兆兰说道：

"展老爷，您在江湖上可是大名鼎鼎。前不久，听说您还帮助包公包大人陈州放粮，智斩安乐侯庞煜，后来皇上对您欣赏有嘉，封了你四品带刀御前护卫，还赐了您'御猫'的称号。"

展昭连忙说道：

"哪里哪里，这些事其实都是包大人所为，我只是尽了一点绵薄之力。没想到皇上这么器重，江湖上的朋友这么抬举，展昭实在名不副实，惭愧惭愧啊！"

"嗳，展老爷实在太过谦虚了。今日咱们难得相遇，痛饮一番，实在有缘啊。还想听您说说这些事情的前后经过呢，也好让我们兄弟长长见识。"

"好的，那我就从头说来。"展昭将杯中酒一饮而尽，从头说了起来。

当时正值北宋天圣年间，四帝仁宗赵祯在位，定都东京汴梁。那时，朝中人才济济，文能治国，武能安邦，风调雨顺，国泰民安。不巧近年来，河南陈州地界，连年干旱，颗粒无收。当地二十三县百姓背井离乡，哀鸿遍野。皇上得到消息，立刻派出龙图阁学士开封府尹包拯前往陈州放粮赈济灾民。此消息一出，天下百姓无不拍手称好，特别是陈州百姓更是日思夜盼，只盼得包公早日来临。

可有一人得知此消息后，却不仅不高兴，反而坐立不安又气又恨。谁？这人就是陈州的安乐侯庞煜。此人是当年的扫北大元帅；他的父亲就是三朝元老，太师庞吉；他的妹妹庞赛花为西宫贵人，伴在君侧。他仗着自己是皇亲国戚，来到陈州后，贪赃枉法，搜刮民脂，干尽了伤天害理的勾当。此时陈州闹灾，他又囤积粮米，哄抬物价，逼得百姓更加走投无路民不聊生。包公可是有名的清官，他要来到陈州，还有安乐侯的好日子过？所以，还不等包公来到陈州，庞煜就来了个先下手为强，派出了杀手，准备刺杀包公。

而展昭正是在这个节骨眼上出现的。

其实展昭和包公很早以前就认识。展昭是常州府武进县百花岭下遇杰村人氏。家中兄弟三人，他排行老三。展昭自幼闯荡江湖，受高人指点，所以武艺非常出众。当包公十六岁在定远县当知县时，两人就冲北磕头，结成金兰之好。包公年长为兄，展昭为弟。包公在定远任职，一遇危难，展昭就挺身援助，帮了包公不少忙。后来包公升至开封府尹，曾邀展昭前去为官，但展昭是江湖中人，自由自在惯了，就婉言谢绝了。

此次听说包公要前往陈州放粮，展昭便欣然前往。一来正好见见自己的大哥，二来展昭知道庞煜不是个好东西，正好前来助包公一臂之力。没想到，果不出所料，庞煜派出了杀手。既然展昭已经来到，自然不会再让别人伤害包公一根汗毛。杀手不仅被生擒，还招出了是受庞煜所使。

包公进入陈州后，庞煜不仅不有所收敛，反而变本加厉越发猖狂，公然派兵围困包公。后来多亏包公用计将其擒住，用御赐的铜斩将其斩成三段。随后，包公查封安乐侯府，释放无辜之人，开仓放粮，赈济灾民，安抚了陈州地方的百姓。陈州百姓无不感谢皇恩浩荡。

回到东京后，皇上十分高兴包拯的所作所为，当下重赏了包拯和一干人等。这时，包拯将展昭引见给了皇上。皇上听说展昭武艺高超，十分有兴趣，当下便命展昭演练了一番。展昭也不含糊，走了一趟八仙拳。只见他拳如流星眼如电，身如蛇形腿如钻，动作时而如猫蹿，时而如狗闪，时而如兔滚，时而如鹰翻，时而如猴上树，时而如虎登山。直看得皇上眼花缭乱，连声说好。当下便封了展昭四品带刀御前护卫，在开封府效力。同时皇上还封了绰号给展昭，就是所谓"御猫"。为什么啊？因为皇上觉得展昭的动作比猫还快还轻巧，本领比猫还大。"御猫"的名号就由此得来。

丁氏兄弟听到这里，才恍然大悟。两人又是赞叹又是感慨，不住地向展昭敬酒。

"那不知展老爷怎么会来杭州呢？"

"我本不想当官，没想到却当上了官。家里还不知道呢。因此我向包大人请假，回家将事情处理一番。还有时间，便来这人间天堂的杭州游玩一番。没想到碰上了周善老人之事，又由此结识了两位少侠，真是三生有幸啊！"

"是啊，是啊。我看这样吧，如果展老爷近日无事，不如就在府上多住两日，我们兄弟二人也好多跟展老爷学学本领，长长见识。"

"谈不上谈不上，倒是展某要多向二位讨教了。"

三人又是频频举杯，开怀痛饮。当日无话，第二天展昭醒来，丁氏兄弟已经在屋外守候，一看展昭起身了，便迎了上去。

"展老爷，府上听说您来了，都十分高兴。我母亲特别想见见您。"

"都怪我昨天贪杯，早就应该向伯母请安了。快带我去见见伯母吧。"丁氏兄弟点头，陪着展昭，来到了内宅。

展昭一见丁老夫人，立刻跪倒在地，口尊：

"老伯母在上，展昭给您请安了！"

老太太连忙欠身：

"快快请起，快快请起，老身可担待不起呀。"

·17·

展昭站起身来，坐在了老夫人的身边。丁老夫人仔细打量着展昭，越看越是喜欢。又将展昭家中的情况和先前的经历问了一番，展昭一一如实相告。丁老夫人说道：

"兆兰，兆蕙，你们好好款待展老爷。老身身体不爽，不多奉陪了。"

展昭一看，连忙起身，就此别过。丁老夫人向丁兆蕙使了个眼色，将他留下。

"儿啊，为娘的心事，你大概已经知道了。你们兄弟都已成家立业。只是你们那个妹妹如今已经到了该出嫁的年纪，还一直没有个中意的婆家。你觉得展昭如何啊？"

"娘啊，我们真是想到一块儿去了。儿也正有此意。展老爷要模样有模样，要武艺有武艺，又在京城为官。就怕咱们那么娇生惯养脾气古怪的妹妹配不上人家啊！"

"这样吧，你先到后面去问问你妹妹的意见，我们再作打算。"

丁兆蕙应道，进了后院。

丁兆蕙的妹妹名叫丁月华，今年一十七岁。她曾拜北高峰庙里的白眉剑尼为师，学得一身精湛武艺，连两个哥哥都不是她的对手。只不过平时专爱舞枪弄棍，性情狂傲，十分孤僻。

丁兆蕙进了内宅，找了把椅子一屁股就坐了下来，一言不发，就盯着妹妹一个劲儿地笑。

丁月华被丁兆蕙笑得丈二和尚摸不着头，连忙问：

"二哥，你乐个什么劲啊？"

"妹妹，你可知道，咱们家来了一位贵客。"

"什么贵客，把你乐成这样？"

"此人非比寻常，是个了不起的豪杰。他姓展名昭字雄飞，是百花岭下遇杰村人士，人称南侠客。小伙子相貌俊朗，功夫也好。如今，人家在开封府效命当差，皇上还恩封他为四品带刀御前护卫，并赠外号'御猫'。"

"那又怎样？"丁月华一脸的不屑。在家中她是最小的，母亲疼爱她，两个哥哥也宠着她，加上也颇有些武艺，所以还真没把展昭放在眼里。"若真动起手来，他还不一定是我的对手呢！"

"妹妹，你也真不谦虚啊。人家可是出了名的侠客。算了，我也不跟你兜圈子了，刚才咱娘也见过展昭了，非常喜欢他，想着把你许配给他。你乐意不乐意啊？"

"啊？"这下可把丁月华闹了个大红脸，姑娘家一听到这种事，平日里再泼辣也不免有些发怵。丁月华芳心乱跳双腮绯红，不知该如何是好。

"妹妹，你不要害臊。男大当婚，女大当嫁。我和娘都挺中意的，只要你也点头了，这事就算成了。"

"那不行，我要先看他的本事是不是真有那么大，如果没有我的本领高，我是不会嫁的。"

"那好，那我们就来个比武招亲。你先准备一下，等会到前院来，我去喊展老爷。"丁月华在后院准备，丁兆蕙来到了前院。前院丁兆兰正陪着展昭喝酒呢，一看丁兆蕙来了，连忙拉他一起喝酒。丁兆蕙说道：

"大哥，有一事要与你商量。"当下将丁兆兰拉在一旁，将事情说了一遍。丁兆兰自然也十分高兴。两人正准备把事情告诉展昭呢，丁月华便进来了。

展昭定睛一看，进来的这个女子一身红装分外妖娆，再往脸上看，真可称得上闭花羞月沉鱼落雁，眉宇之间还带着一股傲气，好一个女中豪杰巾帼英雄。

南侠看罢，不知此人是谁，不禁愣在那里。丁兆蕙连忙上前引见：

"这位就是人称南侠的御猫展昭展老爷。这位是我妹妹丁月华。"

南侠一听，连忙起身行礼，丁月华也还了个礼。丁月华借着施礼之际，偷偷打量了展昭一眼。不看不知道，一看之下，丁月华不禁满心欢喜暗自称好。

双方宾主落座，丁月华也不害羞，大大方方地问长问短，双方谈笑风生，倒也融洽。聊了一会，丁月华突然拽出了身上的宝剑，递给了展昭。

"展老爷，小女有一事不明，想请教一下展老爷。"

展昭接过剑来，连忙还礼：

"展昭孤陋寡闻，所知甚少。'请教'两字实不敢当。"

"您看看我这口家传宝剑究竟叫什么名字，有什么来历？"

闹了半天，是要考考展昭。展昭将宝剑握在手中，仔细打量。只见这件兵刃，古香古色，白鲨鱼皮剑匣，金把钩，金什件，黄金吞口，二尺多长的杏黄灯笼穗，剑长有二尺七八。掂量掂量，份量颇为压手。展昭一按绷簧，"呛啷"一声，宝剑出鞘。只见寒光闪烁，冷气逼人。展昭看了半天，将宝剑归鞘，还给了丁月华。

"妹妹，如果我没有看错的话，这把剑名叫'湛芦剑'，是列国年间造剑大师欧治子所造。他打造的名剑不计其数，其中最有名的有五口，大一些的有三把，小一些的有两把。大一些的剑，剑长超过二尺五寸，第一把叫做巨阙，第二把就是这把湛芦，第三把叫做紫电青霜。两把小一些的剑，一把就是专刺诸王用的鱼肠剑，另一把叫做秋风落叶扫。妹妹，如果有说的不对的地方，请加以指正。"

丁月华一听，心中不禁暗暗佩服。她点点头，问道：

"不知展老爷用的是什么剑？"

展昭连忙将佩剑解下，递给丁月华。

"我用的就是巨阙。"

丁月华接过宝剑，一按绷簧，"呛啷啷"利剑出鞘，顿时像打了一道霹雳，果真是把好剑。丁月华将宝剑还给了展昭，说道：

"展老爷，我还有一事相求，不知展老爷能否答应。"

　　"妹妹请说，只要展昭能够做到，自当全力以赴在所不辞。"

　　"好，那我就直说了吧。您能来府上真是千载难逢，我愿借此机会，跟您比试比试，向您学点东西。"原来，丁月华是想考一下展昭的武艺。丁兆蕙心中明了，自是一味怂恿。

　　展昭却是说什么也不答应，为什么呢？你想啊，展昭是江湖上有名的侠客，又是到人家府上做客，怎么能同一个姑娘家动手呢？如果不慎伤到了人，就更不好了。所以自然是万万不能答应的。

　　但那丁月华不管这些，立刻召集仆人仆妇打扫前院，将地方腾了出来。随后一个跃身，跳到了院中。冲着展昭一抱拳：

　　"展老爷，请！"

　　此时，丁家上上下下听到小姐要和展昭比武，都跑来观看，里里外外已经围了好几层人。事到如今，展昭无法再作推辞，只好也走到了院子里，甩掉了英雄氅，将宝剑和百宝囊都放在了地上，准备和这位丁月华一分高下。

# 第三章 比武招亲

　　南侠站在院中，首先冲丁老太太一拱手，意思是失礼了。丁老太太微微一笑，说道："这丫头心骄气傲，展老爷不必客气，尽管教训教训她。"

　　南侠这才冲着丁月华一拱手，做了个先请的手势，那丁月华也不客气，一点头，一拱手，"噌"，突然蹿起一丈多高，向着南侠就扑了过来。南侠也不躲闪，迎着丁月华伸出双掌，准备硬接她这一掌。谁知丁月华半空中一个翻身，变掌为脚直踢下来。南侠不敢大意，右腿一个侧步，闪在一旁，左手顺势一抓，准备来个"金丝缠腕"，拿住丁月华的脚踝。本来这金丝缠腕是抓人手腕的，南侠这也算急中生智活学妙用。那丁月华确实有些本领，双脚在空中突然变招，前后踢出，直奔南侠的面门，转瞬之间便踢出了五六脚。南侠也不含糊，来了个"缩颈藏头"，躲过这一招。

丁月华双脚一点地，立马转身挥臂，一招"横扫千军"。展昭伸手挡住姑娘的胳膊，使了招"白鹤亮翅"，直奔姑娘腋下，嘴里还提醒道：

"妹妹，小心！"

丁月华腰一弯，上身向后倒去，使了个"千斤坠"，避过这一招。接着就势双手撑地，以手代脚，以脚为手，倒着身子就向展昭踢去。展昭一看这一招来势凶猛，使了个"旱地拔葱"，跃起一丈多高来，躲过了这一招。两人这就战成了一团。

打得这个好看啊！男的英俊，女的漂亮，两人撒招换式，拳来腿往，上下翻飞，难解难分，就好像两只蝴蝶在翩翩起舞。直把众人看得眼花缭乱，不住叫好。一转眼，两人已经战了五十多个回合，还是不分胜负。

丁月华虚晃一招，一转身，转到了展昭的背后，飞起一脚，向展昭后腰踢去。南侠一看，急忙躲闪。只可惜躲过了腰，没躲开屁股，给踢了个正着。南侠站立不稳，向前冲了两步，最后还是"扑通"摔倒在地。

丁月华见势收招，背着手站在那里。那意思，看来你展大侠也不怎么样嘛！

丁兆蕙赶紧跑过来，扶起展昭：

"展老爷，小妹不懂事，下手没轻没重，您可千万不要见怪。"

展昭摆摆手，冲丁月华一拱手：

"妹妹武艺高超，愚兄甘拜下风。"说罢，转身就要退去。

谁知那丁月华得了便宜还卖乖，冲着展昭喊道：

"别走别走啊，展老爷，我们刚刚才比了拳脚，还没有比兵刃呢。来，我们再比比兵刃。"说着，拿起地上放的宝剑，"呛啷"，宝剑出鞘。

南侠一看，连忙说道：

"妹妹，兵刃无眼，万一有个闪失，伤了人就不好了。我们就此为止吧。"

可那丁月华不依不饶，非要和展昭比试，说着说着，挺剑便刺，展昭一看，没有办法，躲过这剑，就地一滚，拿起了自己的宝剑，两人就战在了一处。

为什么丁兆兰、丁兆蕙兄弟不上前阻拦呢？因为他们知道自己妹子的脾气，如果今日不让她看看展昭的真功夫，日后她是断然不会服气的，与其日后耍性子、闹脾气，不如今日让她输个心服口服。

二人又是一场大战。众人根本看不清两人的模样，只见两个人影左右腾挪倏分倏合，中间还夹杂着道道寒光，犹如流星火箭。因为两人使的都是宝剑，所以剑光四射。不一会儿，两人战了一百多回合了，仍然不分胜负。

丁月华宝剑一翻，疾刺南侠小腹。南侠急忙往旁边一躲，将宝剑躲开。没想到，这一招是剑里藏腿的，紧跟着就是一脚，正好踢在南侠的腿肚子上。南侠站立不稳，摔倒在地，宝剑也掉在了地上。

丁月华收住招数，更加得意了，噗哧一笑：

"展老爷，得罪了。"说完之后，便带着丫鬟仆人回到后院了。

丁氏兄弟连忙上前，将展昭扶起。丁兆蕙说道：

"展老爷，没有伤着你吧？！"

展昭笑笑，摆摆手：

"无妨无妨。"

丁兆兰笑了，拉着展昭说道：

"展老爷，今天我可见识了。您不但武艺超群，而且心胸宽广，处事大方。佩服佩服。"

"哪里哪里。我今天输得心服口服。"展昭摇摇手。

"别人看不出来，我还看不出来嘛？你有意让着我那个不懂事的妹妹。她还以为自己了不起呢，回头我就去教训她。"丁兆兰说道。

丁兆蕙在旁边可有些不明白了，瞪着两大眼睛看着哥哥。原来他也没有看出来。丁兆兰笑道：

"你也以为咱们的妹妹赢了？全是展老爷让着她的。在比试拳脚的时候，展老爷在使五祖点穴拳的时候已经在妹妹的背后踢了七脚，不过都是点到为止，只是留了个记号。如果真的发力，咱妹妹早就趴下了。"

"那比试兵刃时呢？"

·25·

"比试兵刃的时候，展老爷就更让着咱们月华了。其实刚过十个回合，月华就输了。你还记得展老爷使的那招'白猿献果'吗？"

"记得啊，那一招是刺人脖颈的，一招毙命。"

"但展老爷却只是用剑尖将妹妹的左耳环削下。你瞧，就在这里呢。"说着，丁兆兰俯下身去，将脚边的一个饰物捡起。众人一看，果然是半个耳环，这才恍然大悟，不禁都拍手称赞南侠艺高人胆大英雄磊落。丁兆蕙一看，立刻跑到后院，将事情真相和妹妹讲了，直把丁月华羞得不敢出来见人了。不过心里更加中意南侠，已经芳心暗许，非展昭不嫁。

男有情，女有意。这桩喜事就算成了。当下丁家庄张灯结彩宴请宾客，举行了展昭和丁月华的定亲仪式。整个丁家庄喜气洋洋热闹非凡，亲朋好友来了一拨一拨的。

转眼就过了十几天。展昭确实不能再待下去了，准备告辞回开封府。丁氏兄弟知道他是官府的人，也不便再挽留。当下，在湖心亭设宴为展昭饯行。

这湖心亭其实是建在一块礁石上的，四面环水，在上面饮酒观景别有一番情趣。当然，要上那亭，自然要坐船了。

三位正喝得痛快呢，突然水面上"飞"来了一只快船。转眼之间，就到了亭前。

南侠往舟中定睛一看，不禁吓了一跳。舟中躺着一人，少了一只胳膊，鲜血染红了半边身子，已经人事不醒了。有一人从舟中跃上岸来，冲着丁氏兄弟一拱手：

"启禀二位员外爷，大事不好了！"

丁兆蕙、丁兆兰放下酒杯，问道：

"究竟是怎么回事。"

"回二位员外爷。今天，我们奉命到芦花荡打鱼。没想到陷空岛的渔队越过地界，到咱茉花村这边来了。我们对他们说'这里不属于你们陷空岛，你们越界了'，哪知他们根本不理，还继续撒网打鱼。王头上前阻拦，让姓邓的一刀就砍下了胳膊。眼下，兄弟们还在那里和他们打着呢，眼看就要出人命了，请二位员外爷定夺。"

"真是岂有此理！"丁兆蕙闻听此言，一拍桌子，挺身而起，说道：

"大哥，妹夫，你们先喝着，待我去会会这些狂徒，我倒要看看陷空岛的人有几个胆子敢在茉花村撒野！"说完，转身便走，跳上了快船。快船立刻如箭出弦，飞一般地向芦花荡划去。

南侠坐在一边，听了半天，也没弄明白是怎么回事，就向丁兆兰请教。丁兆兰说道：

"这片大湖，方圆几十里，北面归陷空岛管，南面归咱们茉

花村。以中间的芦花荡为界，双方约定，谁也不能越过，并在官府立了字据。可没想到陷空岛的人无视前约，到我们这边来打鱼，所以发生了争执。"

"那么陷空岛的主人是谁，为什么对手下不加以管教？"

"就是江湖上有名的五鼠兄弟。老大钻天鼠卢方，老二彻地鼠韩彰，老三穿山鼠徐庆，老四翻江鼠蒋平，老五锦毛鼠白玉堂。"

"原来就是赫赫有名的五鼠啊！这五鼠兄弟在江湖也是数得着的人物，怎么会干出这样的事来。我看其中必有隐情，不如我们一起过去看看吧。"

丁兆兰放心不下自己的弟弟，也正有此意，于是两人一同坐船前往芦花荡。

前头丁兆蕙已经赶到，老远看见陷空岛的几十只船和茉花村的二十几只船混在一起，船上的人正在兵刃相见战成一团。丁兆蕙一声大喝：

"住手！"

茉花村的人一看是二当家的来了，纷纷住手，拥到了近前，将事情又说了一遍。那边陷空岛的人也停下手来，看看事情准备如何发展。丁兆蕙听完了汇报，怒火燃烧。他站立船头，对着陷空岛的人喊道：

"你们哪个是管事的啊？"

陷空岛的船队中驶出一只小船来，船头站立一人。此人身高马大，一把络腮胡子也遮不住满脸横肉，光着膀子，穿着裤衩，手拎劈水电光刀，看年纪大约三十多岁。

丁兆蕙一看，认识。此人叫邓彪，外号分水兽，是陷空岛的一个小头目。丁兆蕙冲着邓彪喊道：

"邓彪,你们为什么过界打鱼?"

那邓彪将嘴一撇,嬉皮笑脸地说道:

"二员外,这两天风刮得缺德,把我们陷空岛的雨都刮到你们茉花村了,我们老是打不到鱼,你们却满载而归。没有办法,只好越界打鱼了。没想到你们的人还不让打,我看你们的人是欠揍,特别是那个王头,嘴里骂骂咧咧,老子一怒之下,就把他的膀子给废了。怎么,你想替他报仇?"

丁兆蕙当时这个火"腾"地就起来了,不过他还是以大局为重,用手指着邓彪说道:

"看在你们家五位员外爷的面子上,我不和你一般计较,你们快快回去吧,不然就不要怪我们不客气了。"

邓彪却不知好歹,还得意洋洋地说道:

"不客气?你能怎么不客气啊,还能把我吃了不成?"

丁兆蕙忍无可忍,不等邓彪话音落地,"噌"就跳到了邓彪的船上,甩手就是一刀,两个人就战在了一起。邓彪哪里是丁兆蕙的对手,没几下,就给丁兆蕙一脚踢到水里去了。丁兆蕙"扑通"自己也跳了下去,两人在水里继续你来我往地打着。在水里,邓彪就更加不是丁兆蕙的对手了,没过多久,就给丁兆蕙按在水中,灌了个大饱肚子。丁兆蕙放手上船,将邓彪也拖了上来。手下递过一把鱼叉,丁兆蕙接过鱼叉就准备结果了邓彪的性命。正在此时,忽听有人高声喊道:

"二弟,手下留情!"

丁兆蕙抬眼望去,从南、北面各来了一艘船。南边的是自己的哥哥和南侠,北边的那艘船上站着一个老头儿。此人身高八尺开外,宽肩细腰,须发尽白,浓眉大眼,高鼻阔口,五官忠厚,相貌堂堂。此人不是别人,正是五鼠的头一位——钻天鼠卢方。

丁兆蕙放下鱼叉，冲着卢方一躬身，施了一礼：

"卢大哥，多日不见，近来可好。"卢方也很客气，跳到丁兆蕙的船上，冲着丁兆蕙还了个礼。这时，丁兆兰和南侠也都来到了丁兆蕙的船上。卢方冲着众人一拱手，说道：

"各位兄弟，千错万错，都是我们陷空岛的不对，是我卢方管教不严。请你们高抬贵手，我立刻将邓彪送到官府衙门，按律治罪。王头受伤，一切费用都由我来承担。"

话说到这个份上，丁氏兄弟自然也不好再说什么。当下招呼人手，将事情处理了。展昭在一旁听了，心中不禁暗暗赞叹，果真是一方大侠，有气度有胸襟。他有心上前认识，但当时人多事杂，丁氏兄弟一时也没有顾得上引见。

·29·

丁兆兰问道："卢大哥，你治岛一向有方，怎么手下会出现这种败类？"

"唉，各位兄弟有所不知，最近岛上烦心事多啊！"卢方叹了口气，继续说道："说起来，这还和那开封府的南侠展昭有关。"

"噢！"丁氏兄弟和南侠同时叫了出来，不禁疑惑重重看着卢方。那卢方继续说道：

"那南侠在皇上面前献了三绝六巧，被御赐为"御猫"，名扬天下。这本是好事，和我们也没什么关系。可是我那几个兄弟却非要挑理，说我们是老鼠，人家非要叫猫，这不是冲着我们来的吗？非要上京去找展大侠论理。本来，我已经劝下了他们，可没想到老四说了两句，把老五给挑起来了。老五白玉堂平时就心高气傲目中无人，那能受得了这个，当下就离开了陷空岛去开封了。"

"四哥说了些什么，把五哥给挑起来了？"丁兆蕙问道。

　　"他说：算了，老五，咱们是老鼠，人家是猫，自古老鼠怕猫，世人皆知。人家不来找咱就算咱的运气了，不信，不信你去找人家比划比划，咱肯定不是人家的对手。老五听了这话，立刻就走了。我怎么拦都拦不住。没有办法，又叫他们三个都上了开封，去找老五。可千万不要闹出些事情来啊！这两天为这些事烦心，只手难遮天，结果就出了今天这事，真是对不住啊！"

　　丁氏兄弟连忙劝慰。展昭在旁边听了心里不禁一惊：万一那白玉堂跑到开封府闹事，伤了包大人就糟了。如果再惊扰了皇上，那就更不得了。想到这里，展昭的脑门上都冒出了汗。

　　丁兆兰对卢方说道："大哥，你看这位你可认识？"说着就将展昭引见给了卢方。

　　卢方看了看，说道："不认识，敢问这位英雄尊姓大名？"

　　"这位就是你说的南侠'御猫'展昭展大侠啊！"

　　卢方一听，脸当下就有点红了。展昭连忙施礼，卢方也还了礼，说道：

　　"展大侠，你看这可如何是好。我那五弟恃才自傲胆大无知，万一在京城惹出了什么乱子可如何是好？到时，还请展老爷多多担待。"

　　展昭笑道："卢大哥言重了，展昭知道该如何做，您就放心吧。"展昭又对丁氏兄弟说道："事情紧迫，我准备立刻回京城了。"众人分别，卢方回陷空岛，展昭和丁氏兄弟回到茉花村。展昭收拾停当，立刻起身回开封。丁氏兄弟一直送出十里，才不舍而回。

　　展昭离开了茉花村，走出去五十里有余，突然听到旁边树林里有人喊救命。南侠一转身，进了树林。只见树林中有一块空地，空地周围是几座坟，坟前面跪着一个老头。不过那老头不是在上坟，因为老头的面前还站着一个拿刀的彪形大汉。那大汉正恶狠狠地说道：

"快脱，废话少说，不然老子一刀劈了你！"

那老头慑于他的淫威，只好胆战心惊地将自己的裤衩脱下，交给那个大汉。展昭一看，顿时火起，一个裤衩值几个钱，这个贼人真是可恶啊！展昭"噌"就跳了出来：

"住手！"

那大汉一看旁边跳出一人来，也不说话，立刻挥刀扑了上来。可他哪是展昭的对手啊，展昭一个闪身，抬起一脚，就把他踢翻在地。接着一脚踩住他的肚子，又捡起了他掉的刀，指着他的脖子，说道：

· 31 ·

"你是何人，光天化日竟敢拦路抢劫！"

"回英雄的话，我叫李虎，是陷空岛的人。"

展昭一听，不禁一愣，怎么又是陷空岛的人。本来陷空岛的人跟我就有些误会，如果现在把此人杀了，误会可能会更深。想到这里，展昭抬起脚来，把李虎给放了。

"如果下次再让我碰上你干伤天害理的事，决不轻饶！滚！"李虎哪里还敢停留，撒腿就跑了。展昭这才过来扶起那老头：

"老人家，快快起来，您贵姓啊！"

"我奴随主姓，姓颜名福，住在离这里不远的玉麟村。我家公子名叫颜查散，想进京赶考，无奈家中贫寒，没有衣服、路费。于是命我前往金家村，找我家公子的莫逆之交金公子借些银两。没想到回来的路上就遇到了强盗。恩公啊，如果不是你前来相救，老汉已经成为刀下之鬼了。多谢救命之恩！"

展昭听罢，不由一愣，忙问道：

"当年,松江府有一位清廉的知县名叫颜仕昌,你可认识?"

"颜仕昌正是我家老爷,颜查散是他的儿子。"

"颜仕昌是个有名的清官。他在松江府任职九年,两袖清风,明镜高悬。当地的老百姓都称他为颜活佛。可是他的儿子怎么会这么穷呢?颜老爷现在何处,快带我去见他。"

"我家老爷早已不在人世了。不然,我家公子也不会落魄到这等田地。不过我家公子饱读诗书心怀大志,日后定有作为。"

"那就太好了。老人家,路途凶险,我来送你一程。"

"那可太好了,谢谢恩公。"老头一乐,连展昭名字都忘了问了。颜福收拾了一下,就领着展昭奔玉麟村而去了。时间不长,两人就进了玉麟村,走到自家门前,颜福敲了敲门。一个少年将门打开,一见颜福,连忙说道:

"您可回来了,我和娘都等得急死了。"

颜福便把事情经过说了一遍,末了说道:

"公子,多亏了这位恩公,不然我就见不到你了。"

"哪位恩公啊?"那少年看了看四下,十分惊奇。颜福回头一看,展昭早已不知去向。主仆二人还以为是神仙下凡,对着天空拜了三拜,这才进屋。

那少年正是颜查散。颜福将借来的银子和衣服都交给了他。颜查散收拾了东西,就准备告别母亲和颜福,进京赶考。正在此时,突听有人敲门。

颜福前去将门打开,朝外一望,没有人啊。心下里暗自奇怪,将门关上,一回身,不禁吓了一跳。

世界文学名著宝库

# 第四章 一波三折

颜福一回身，发现屋里突然多了个人，是个不大的小孩。那小孩看模样也就十四五岁，齐眉的刘海，小脸圆圆的，红扑扑的，大大的眼睛，看起来十分可爱聪慧，身后还背着个包裹。还没等颜查散开口，那小孩先说话了：

"颜公子，我是金公子手下的书童，我叫雨墨。自从老哥哥从我家借了东西后，我家公子就觉得颜公子初次进京，没人侍奉不行，于是便派我来侍奉颜公子，也就是说把我送给颜公子了。"

颜查散也是第一次出远门，本来也忐忑不安呢，现在一听有这等好事，心里也自是欢喜。连忙说：

"你家公子想的真是太周全了，太感谢了。"

这时，颜老太太说话了：

"查儿，既然现在有雨墨来照顾你，我也放心了。我这里还有一封信，你拿着，到了京城去找双星桥柳家巷的柳宏。他是我兄弟，以前在你爹手下当稿案。你将信交给他，一切自有安排。"颜查散接过信来，也装在了包裹里。

那柳宏原在颜仕昌手下干活，是颜仕昌提拔他当了稿案。柳宏为了报答颜仕昌的恩情，就将自己的女儿柳金婵许配给了颜查散。当时孩子还小，现在已经到了成亲的年纪。所以颜老太太也想借此机会让儿子成亲，了了这个心愿。

次日，天光见亮，颜查散便带着雨墨，拿着行李，上路了。

这雨墨年纪虽小，却十分聪明，善解人意而且能说会道。虽然颜查散是第一次出远门，走得双脚酸痛满脚水疱，但有雨墨在旁边陪着，一路上谈古论今说文解字，倒也不觉得怎么辛苦。不知不觉，就走了一天的路了。晚上，主仆二人来到了一个村庄。村庄不大，只有一条大街。街上倒有不少客栈，不少伙计站在路边上拉生意。雨墨带着颜查散看看这家，转转那家，一家都没有进。最后，来到了一家叫做"悦来客栈"的客栈前。

客栈名叫"悦来"，可伙计喊了半天，都没有人来。好不容易看到雨墨和颜查散要来住店，自是十分高兴殷勤。伙计笑脸相迎：

"两位，住店？"

"废话，不住店我到你这儿干吗？"

"里面请，本店客房干净，吃喝便宜。"

"便宜？住个包房要多少钱啊？"

"要是别人住，那可就贵了，不过二位公子一看就是贵人，就便宜些吧，三十文钱。"

"三十文钱？不行，一文钱可以买两个烧饼。三十文能买六十个，能够我吃多少天啊！不住不住。"

"那，二十文吧？"

"不住，不住，四十个烧饼呢！"这可好，什么都用烧饼比。

那伙计已经在外面站了一天了，也没有什么生意，心想反正房子空着也是空着，不如就让他们住吧，挣一点是一点吧。

"十文钱，你看十文钱怎么样，我已经是在亏本经营了。"

"这还差不多，我就照顾一下你的生意吧。"

伙计领着颜查散和雨墨进了客栈。两人在伙计的带领下来到房间，将行李放下，收拾停当后，拿出干粮，正准备吃饭。突然听到外面人声嘈杂，主仆二人不禁好奇，一同来到店外看看是怎么回事。只见店门口围了不少人，那个在门口拉客的伙计正在和一个人争吵。那人头戴烂草帽，身穿烂衣袍，脚蹬烂草鞋，身上没有一处是干净的，脸上更是肮脏不堪，胳膊肘下还夹着两本书，似乎是个读书人。只可惜嘴里不知说的是哪里的方言，无法听懂。只听那伙计说道：

"你要住店可以，先拿出钱来。"

"住店自然要花钱，你先让我住了，钱我自然给你。"

"那你先把钱给了。"

"你先让我住店。"

两人在这里纠缠不清。颜查散看此情景，大概也明白了是怎么回事。想到自己家境贫寒，前来赶考也是得人资助，不禁对这个脏书生心生同情。当下站了出来，对着那个伙计说道：

"这样吧，我请这位公子住在我的房中。"

颜查散是交了钱的，伙计自然也不好说什么，不过伙计还是交代了一句：

"大家可都看到了，如果你丢了什么东西，可不要怪我没有提醒你。本店概不负责。"颜查散点头应道，将那脏书生接了进去。众人一看，也都散去了。

这下可急坏了旁边的雨墨，一句话还没说上，颜公子都把人家领进屋来了。雨墨将颜查散拉到一旁，低声说道：

"公子，你怎么能这么轻易相信别人。万一有个什么三长两短，我可怎么向你娘和金公子交代啊！"

"没有关系，他是个读书人，不会有什么事的。"

"我看他不像，哪有读书人这么肮脏邋遢的。"

"哎，不要以貌取人嘛！这样吧，待我考考他，看看他到底有多少学问。"

颜查散带着雨墨走了进来，冲那书生一拱手：

"请问，仁兄尊姓大名。"

"吾姓金，名叫金毛旭。请问兄台怎么称呼啊？"

"在下姓颜，双名查散，表字春敏。不知……"颜查散正要继续问下去，金毛旭突然一摆手，绕着屋子转了一圈，说道：

"颜大哥，我看咱们这屋子太黑了，不妨多点些蜡烛，来它个朗朗乾坤。"

话还没说完，外面伙计就拿着蜡烛进来了。这倒不是金毛旭事前安排好的。古时候没有电灯，蜡烛是惟一的照明工具，住旅店都是要点上蜡烛的，而且要另外付钱。所以伙计早就准备好了，只是没想到碰上个摆阔的主，当下里桌子上、窗台上、茶几上……能放蜡烛的地方都放上了。那金毛旭一边指挥放蜡烛，一边还说道：

"好好，兄台，你看现在是不是亮堂多了。"

差点没把旁边站着的雨墨气个半死。那金毛旭也不在意，又让伙计去倒茶，准备和颜查散喝茶聊天。一会儿工夫，茶也上来了。没喝两口，金毛旭又说道：

"颜兄，你有没有吃过晚饭啊？"

颜查散刚刚吃了两口馒头，就出去看热闹了，于是说道："还未曾用过。"

"那正好，来，今天我请客。伙计，给开一桌上等的酒席。"

伙计当然乐意了，没多大工夫，酒菜全部上齐了。金毛旭拉着颜查散和雨墨就吃开了。喝了两杯酒后，金毛旭又说道：

"颜大哥，今日能够认识你，我心里十分高兴，咱们来吟诗对对如何？"

颜查散一听，也十分高兴，忙说道：

"好啊，请金兄出题，我来答对。"

"好！遍地黄花金钉钉地。"

颜查散想了想，答对道：

"景州塔高玉钻钻天。"

"好，对得好！"金毛旭又说道：

"水凉酒一点两点三点水。"

"丁香花百头千头万字头。"

"好，好，对得太好了。"就这样，两人你一句、我一句对得珠联璧合天衣无缝，越对兴致越高。雨墨一看，这可不行，明天还要赶路呢，就劝颜查散早点休息。颜查散也确实有点累了，就说早点休息吧。金毛旭叫伙计进来，将桌案收拾干净，屋里打扫整齐，又命伙计取来两套缎子被褥。然后脱衣上床，和颜查散同床而眠。雨墨却没有睡下，他将门关严，又搬了个小凳挡在门前，就准备在凳子上坐一宿了。为什么啊，他怕金毛旭半夜跑了，不付账。

一夜无话，第二天一早，大家都起来了。伙计也进来了，把账单往桌上一放，说道：

"二位，一共是三十二两九钱银子。"

雨墨当时就叫了出来：

"什么！一晚上花了这么多银子！"

金毛旭看完，倒乐了：

"不多，不多，我给四十两，剩下的就算做小费吧。"

伙计一听，可乐了，冲着外面就喊：

"账房听着，两位大爷给七两一钱的小费喽！"他这么一喊，想不给都不行了。

可那金毛旭说完了话，就往椅上一坐，闭目养起神来了，也不掏钱，也不说话。伙计一看，有点急了，便问：

"两位公子，你们倒是掏钱啊！"

颜查散一看，脸色变红，立刻让雨墨打开包裹，准备付钱。金毛旭这回倒是精神了，一听说颜查散要付钱，立刻睁开眼睛说道：

"哎呀，既然你要付钱，那兄弟我就不客气了。"说完，又闭上眼睛养神了。

可把雨墨给气坏了，可没有办法，只好把账先给付了。金毛旭一看账付完了，立刻书本一夹，说道：

"颜大哥，小弟我还有事，先走一步了。咱们后会有期。"

"金兄，但愿咱们有缘再见，一路保重。"颜查散还颇有点舍不得。雨墨可不管这些，冲着金毛旭的背影喊道：

"路上小心啊，别让马车给撞死！"

主仆二人收拾了东西，也上路了。一路上，雨墨颇不高兴，埋怨颜查散花钱不够谨慎，莫名其妙地就把一路上的盘缠都花光了。颜查散并不在意，对于结识了金毛旭这样一个有学问的朋友很是高兴。不知不觉，又走了一天，来到了一个稍大些的集镇。雨墨又用昨天的办法找了一家便宜的客栈，主仆二人住下了。刚刚收拾完，正准备啃馒头吃晚饭呢，听到外面有人敲门。雨墨拉开门一看，得，又是那位金毛旭金大公子。还没等金毛旭说话呢，雨墨一把拉住他，把他拉进了屋里，一边来，一边说道：

"太好了，金公子，我们正想你呢！"

"真的吗？我也很想念你们啊，刚刚看见你们进了这家客店，就跟着来了。呦，这屋里可够黑啊！"

还没等他张口，雨墨先把伙计喊来了，让伙计点了好多的灯，照得屋子里头亮堂堂的。金毛旭点点头，刚刚要坐下，雨墨又喊伙计上茶。金毛旭刚刚把茶端到嘴边，雨墨又让伙计开了一桌上等的酒席，规格和昨天晚上吃的差不多。三人一顿大吃，吃完之后，洗漱完毕，三人上床睡觉。雨墨安排，颜查散睡里面，金毛旭睡中间，雨墨睡外面。为什么要这么睡啊？雨墨是怕金毛旭半夜跑了再赖账。夜里雨墨还紧紧抓着金毛旭的衣服，生怕他溜之大吉。

第二天一早，雨墨第一个起床，并招呼伙计结账。伙计拿着账单上来了，一共是三十二两七钱。雨墨心想，得，花的和昨天一样多，于是对着伙计说道：

"不多，不多，我一共给你四十两银子，剩下的算做小费了。"

伙计一听，这个乐啊，冲着外面就喊：

"外面的人听着，这三位大爷赏了七两三钱的小费啊！"

雨墨转过头来，冲着金毛旭一笑，说道：

"金公子，别客气了，您快掏钱付账吧！"

谁知那金毛旭不慌不忙，往椅子上一坐，二郎腿一翘，又闭上眼睛开始养神了。任凭雨墨怎么拉扯讽刺就是不动不语。

旁边的伙计可不乐意了，说道：

"你们到底谁给钱啊，我还等着结账呢！"

颜查散倒是有心付账，可是身上已经没有钱了，急得不知如何是好。伙计又在那催开了，话自然也是越来越难听。颜查散实在憋不住了，说道：

"伙计，稍等一下，我来付钱。"

颜查散话音刚落，金毛旭就站了起来，说道：

"颜大哥真是好人啊，既然你来付钱，我就不客气了。我还有事，先告辞了。"说完，夹起两本破书，就准备往外走。雨墨一看，可真急了，上去就把金毛旭一把给拽住了：

"不行，你不能走，你还没付钱呢！"

颜查散见了，脸一沉，说道：

"雨墨，还不快快放手！"

雨墨一见主人变脸，也不敢再放肆，松了手。金毛旭也不害臊，头也不回地就走了。

颜查散对伙计说道：

"我先出去一下，我的书童留在这里。您请稍等，我即刻便归。"说完，拿着包裹就离开了客栈。他去哪里？颜查散准备将衣服卖掉，卖些银两来付账。可那几件衣服能卖多少钱啊，他也顾不上这么多了，能卖一点是一点了。

集市上人倒不少，问价的也不少，但都嫌贵不买。正在颜查散不知如何是好时，来了四个大汉，一问价钱，二话不说，付了钱，拿了衣服就走了。颜查散也顾不上考虑这事是否奇怪，拿着钱就回来赎雨墨了。

主仆二人将账结完，这才上路。这下两人身上几乎身无分文了，一路上省吃俭用，忍饥挨饿，受尽了千般辛苦，终于快走到东京了。这天，他们来到了离东京不远的十里长亭，投身在一家最差的旅店里，住在最差的房间里。那屋里又臭又脏，比猪圈好不了多少。

两人收拾停当，正准备啃馒头吃晚饭呢，有人在外面敲门。雨墨前去开门，拉开门一看，只见那金毛旭站在门外，笑容可掬。雨墨这气就不打一处来，想想一路上受了那么多的苦，顿时就把脸沉了下来：

"呦，金公子，多日不见，没想到在这里又能见到你，咱们可真是有缘啊！"

"那可不是，我就是专门来找你们的。"

"那可不是，你吃了我们两顿，花了我们八十两银子，脸皮再厚的人也知道要还个人情。你是来报恩的吧？"

"没错，我正是来报恩的。"

雨墨心想，你能来报恩，太阳真是从西边出来了，待我再臭你几句。说话间，颜查散从屋里走了出来，一见金毛旭，十分高兴，说道：

"这不是金兄嘛，能再次相见真是太好了。"说着将金毛旭领进了屋里。

金毛旭走进屋里，不禁眉头一皱。为什么啊？屋里的味道可真不好闻。他环顾四壁，说道：

"哎呀，颜大哥，你怎么能住在这种地方啊？"

还没等颜查散说话，雨墨先开口了：

"我们不住这种地方，你说我们该住什么地方啊？"

"走，我带你们去个地方住。"

雨墨心想，走就走，反正我们已身无分文了。死猪不怕开水烫，看你还能再占我们便宜！三人将东西收拾了一下，就由金毛旭领着，来到了镇上的一座大客栈里。伙计领着进了客房。颜查散和雨墨一看，吓了一大跳。这排场可不一般，那家具，那摆设，这要住一晚上，可不是四十两银子的事情了。还没等他们说话，金毛旭已经吩咐伙计端茶送水，伺候颜查散和雨墨梳洗干净，然后又摆下筵席。什么猴头燕窝鲨鱼翅，牛羊鸡鸭海底蟹，天上飞的，地上跑的，水里游的，应有尽有。可颜查散和雨墨都没吃多少，拿着筷子的手都有些哆嗦。为什么啊？身上没钱，心里没底，这次就是将他们主仆俩都卖了也不够付账的。可那金公子毫不介意，自顾自地大吃大喝起来，潇洒自如，旁若无人。酒足饭饱之后，伙计收拾完了，三人上床休息，一夜无话。

第二天一早，三位都起来了。伙计前来结账，把账单递给了金公子。金毛旭一看，说道：

"总共八十六两七钱四，不多，不多。我给你一百两，剩下的算小费。"

伙计一听，这个乐啊！冲着外面又喊开了。再看那金公子，也不掏钱，拿起个牙签，一屁股坐在椅上，挑起牙来了。雨墨一看，得，又来了。你不给也不行，反正我们是一分钱都没有了。再看看颜查散，颜查散脸涨得通红，一句话都说不出来，汗珠子啪啦啪啦往下掉。

正在此时，只听得外面马挂銮铃，霎时间，数匹马跑到了客栈门前。伴着"噔噔噔"的脚步声，进来四个大汉。雨墨一看，觉得似乎在哪儿见过，却又想不起来。

那四个大汉带进来一个大口袋，见了金毛旭，把口袋往地上一放，跪倒在地，说道：

"员外爷在上，小的来晚了，请恕罪。"

　　金毛旭脸一沉，一改先前嬉皮笑脸的模样，显现出威风八面的气势，问道：

　　"钱可曾带来？"

　　"带来了，在这呢。"大汉们将那袋子打开，"哗啦啦"倒在了地上，好家伙，一大堆银子。"时间紧迫，只带了三千两。"

　　金毛旭随手拿起两大块来，交给了伙计。伙计道谢离去。金毛旭转身对颜查散说道：

　　"颜大哥，一路上承蒙您的照顾，小弟感激不尽，这些银子了表寸心，你收下。如果不够，你再和我说，不要客气。"

　　颜查散却坚决不收："无功不受禄，寝食难安啊！"

　　金毛旭见颜查散坚决不收钱，说道：

　　"颜兄，你我相处虽然时间不长，但是你为人光明磊落心怀宽广，是一个正人君子。我愿与颜兄冲北磕头，结成生死之交。不知颜兄意下如何？"

· 43 ·

　　颜查散的书生气很重，见人家提出结拜之事，自然不好意思推辞，忙说道：

　　"既然金兄看得起在下，颜某求之不得。"

　　金毛旭十分高兴，立刻吩咐手下设摆香案，又递给颜查散一套衣服，让他换上。颜查散一看，正是自己卖掉的那套，十分奇怪。猛然想起，原来刚刚进来的四个大汉就是在集市上买自己衣服的四个人，不由得更是不解。

　　两人都换好了衣服，携手来到香案前，双双跪倒。颜查散说道：

　　"在下颜查散，松江府玉麟村人氏。"

　　"在下白玉堂，祖籍浙江金华府白家巷，现在陷空岛卢家庄。"

　　颜查散和雨墨听了都是一惊，闹了半天，原来此人是赫赫有名的锦毛鼠白玉堂啊！颜查散和白玉堂又互报了年纪，两人同年同月生，颜查散比白玉堂早几天为兄，白玉堂为弟。两人冲北磕了三个头，这才起身。

雨墨一看两人礼毕，急忙走过来，冲着白玉堂施礼：

"白大侠，一路之上多有得罪，我这给你赔礼了。你大人不记小人过，就原谅我吧！"

白玉堂哈哈一笑，随手拿起一块银子，递给雨墨：

"你一路之上尽心尽力照顾我的颜兄，辛苦了，这块银子你拿着花吧。"

雨墨推辞再三，但拗不过白玉堂，就收下了。白玉堂吩咐了一声，又重新摆宴，大家落座，边吃边聊。白玉堂问颜查散：

"请问大哥，你这是准备去哪里啊？"

"兄弟，我要到双星桥柳家巷，找我舅父柳宏。他有个女儿，叫柳金婵，儿时便与我定亲。我此次奉母之命，与她完婚。然后再参加科举考试。"

"那好啊，我就要有嫂子了。哥哥，你尽管前去，再过几天，我定登门探望。"哥儿俩你一句我一语，说不尽的心里话，直喝到二更天才散去休息。

第二天一早，白玉堂为颜查散准备了高头大马，置办了新衣礼物，才就此告别。

颜查散和雨墨骑着马，一路寻来，找到了双星桥柳家巷柳府。雨墨说明来意，仆人立刻进去禀报，不多时，柳宏便出来迎接了。舅舅见了外甥，自然格外热情，立刻接进府中，上茶看座，问长问短。颜查散见舅舅这么热情，也十分高兴，便取出母亲写的书信，交于柳宏。柳宏展开信笺，边看边念，念着念着，脸就变了。

# 第五章 飞来横祸

　　信中写道："自你姐夫离任，不幸偶得伤寒。病未痊愈，又惨遭大火。如今，家贫如洗，勉强维持。我儿查散，自幼喜读诗书。这次来你家中，望你成全他夫妻完婚。但等来年，再送他进京应试。"

　　柳宏看罢，心下里十分奇怪，便问颜查散："既然你家一贫如洗，那么你这身衣裳和马匹是哪里来的？"

　　颜查散便把路上发生的事简单地说了说。柳宏一听，看来信上所言果然不假，我的女儿怎么能嫁给这样一个穷光蛋呢。他暗暗打定主意，冷着脸叫仆人将颜查散和雨墨带去书房，便不再搭理了。

　　颜查散和雨墨在书房坐了良久，既没人来上茶，也没人来叫吃饭，心里也明白了几分。这个舅舅嫌贫爱富，看来是待不下去了。可二人初来此地，人生地不熟的，不留在这里，又能到哪里去呢？一时之间，竟不知如何是好了。

柳宏来到后院，见了他的夫人冯氏，把情况说了一遍。那冯氏不是柳金婵的亲母，而是她的继母，也是嫌贫爱富忘恩负义之徒。听丈夫这样一说，也不愿将柳金婵许配给颜查散，做这亏本的买卖。不仅如此，还心生毒计，对柳宏说道：

"老爷，别看我不是亲娘，可也得对孩子操心。无论如何，不能将女儿嫁给那个穷书生，这不是往火坑里推金婵嘛！我看，干脆，雇个壮汉，悄悄地把那姓颜的小子宰了算了，把尸首往野地里一扔，就当这个人没有来过，落个清净方便。"你说这女人多毒啊！

柳宏一听这话，吓了一大跳。可还有一人更是听得毛骨悚然，谁啊？柳金婵的乳娘田氏。那柳金婵年方十七，心地善良，知书达理，自从和颜查散订了亲事，她从未变心，知道要报这个恩情。颜查散来到柳家，小姐也听说了。可是姑娘家不便抛头露面，于是她便让自己的乳娘田氏到前面来打听一下。那田氏是看着柳金婵长大的，柳家的事她一清二楚，当年颜仕昌于柳宏有恩一事她也是知道的，谁是谁非，田氏心里清楚得很。所以小姐让她前来打探，她也十分尽心。在客厅发生的事她都看到了，正准备回小姐住的院子向小姐禀告，路过老爷夫人住的屋，无意中听到了冯氏的一席话，吓的她冷汗直流。心想，这姑爷还没过门，就要变成刀下鬼了，这可如何是好？我还是快快回去，禀告小姐，再做商量。当下，返回小姐房间，对柳金婵将前后经过都说了一遍。

那柳金婵长在深闺，哪里见过这些，听完之后吓得魂飞魄散，哭得死去活来。田氏一看，这哪成啊，这边哭死一个，那边被砍死一个，两人只能在阴间成亲了。连忙劝慰：

"小姐，哭有什么用啊，现在关键是赶紧想个办法。"

"乳娘，我方寸已乱，哪里还想得出办法啊！"柳小姐擦了擦眼泪，这才不哭了。

"小姐，依我之见，最好让颜公子离开这里。你不是有点银两嘛，给他拿点。另外，你俩最好见见面，好好谈谈。待到他日后金榜题名，好来接你。"

"乳娘，就依你的办法。可是我们在哪里见面呢？"

"后花园牡丹亭十分僻静，最为合适。你先给他写封信，与他约好时间，派人送去。"

小姐无奈，拿出文房四宝，亲自写了一封信，交给贴身丫鬟紫鹃，让她转交给颜查散。田氏还交待，让紫鹃顺道吩咐厨房，给颜公子送点吃的过去。紫鹃这才前去。

·47·

颜查散正坐在书房里发呆呢，一半是愁的，一半是饿的。突然一个姑娘走了进来，身后还跟着个仆人，手上端着馒头和牛肉热汤。那姑娘眉清目秀，指挥那仆人放下食物，又让那仆人离去，这才对着颜查散行了个礼，说道：

"颜公子，我是小姐的贴身丫鬟，我叫紫鹃，我是来给你送信的。"说完，把柳金婵写的信掏出来，递给了颜查散。

颜查散也顾不上吃东西了，先把信打开，看了一遍。大意是说：公子来到柳府，我爹多有怠慢，奴家十分难过。你我从小定亲，忠贞不变。我生为颜家人，死为颜家鬼，请公子放心。今晚三更，约你在后花园牡丹亭相会，见面后再叙详情。千万，千万。

颜查散看完信，心里十分高兴，抬头对紫鹃说道：

"麻烦转告你家小姐，就说我按信办事，不见不散！"

"好的。"紫鹃转身回去了。

颜查散又将信打开，一个字一个字地仔细回味，越看心里越甜蜜。正陶醉呢，突听外面有人说道：

"颜兄在屋里吗？"

颜查散吓了一跳，因为他手上还拿着柳金婵的信呢，这事要让人知道了就糟了。他站起身来，望四下里一望，有了！他走到书架上，随便抽了一本书就把信插了进去。刚放好，外面那人就进来了。

此人鹰钩鼻子斗鸡眼，招风耳朵蛤蟆嘴，要多难看有多难看。颜查散很是诧异，不知此人是谁，拱手问道：

"不知兄台尊姓大名？"

"你就是颜公子吧，我姓冯，就冯均衡，我姑妈嫁给你舅舅柳宏了。哈哈哈哈！"

颜查散这才明白，原来是柳宏续弦的娘家侄儿，连忙让座。但颜查散有所不知，这冯均衡对柳金婵垂涎已久。他的姑妈，也就是冯氏之所以极力反对颜查散和柳金婵的婚事，有很大的原因就是因为她的这个侄儿，她想让侄儿霸占柳金婵，这样便可以将柳家的家产全部占为己有了。颜查散今天一进柳府，冯氏就派人去通知冯均衡了。冯均衡气得牙都疼，准备先来探个究竟，所以连夜前来探访颜查散。

一见之下，觉得颜查散确实相貌英俊，气质不凡，一表人材，心中不免有点气馁。不过他心中还有点不服，想再试试颜查散的文采，于是说道：

"颜兄，我早就听说你文采出众，一直想领教一二，今日有幸，我们吟诗作对，你看如何？"

颜查散也不便推辞，就与冯均衡对起对子来了。

"你听好，我出个上联，你对下联。"冯均衡也不害臊，张口就来："来了一群鹅，见人就下河。"

颜查散一听，差点没笑出声来，这也叫诗？强忍着说道："白毛浮绿水，红掌拨清波。"

"对的好，对的好，来，你出个上联。"

"金殿上叫一声文文武武。冯兄请对。"

冯均衡拍着脑袋，想了半天，说道：

"长街上喊一句奶奶爷爷。"

颜查散差点没乐倒，这整个一要饭的。两人又对了几个，冯均衡自己也觉得无趣了，就不对对子了。他又说道：

"颜兄，可否借你的扇子一看？"

· 49 ·

颜查散把扇子递给了冯均衡。冯均衡打开一看，上面写着四句话：三尺龙泉万卷书，上天生我意何如？不能治国安天下，枉称男儿大丈夫。落款：颜春敏。冯均衡看罢，赞不绝口。把自己的扇子也掏了出来，递给颜查散看。颜查散一看这扇子，是名贵的湘妃竹制作的，十分精致。展开一看，正面是四个大字：酒、色、财、气。反面画了一幅画：河上有一条船，船上有一个美女，岸上站着一个公子，一手拎着鸟笼，一手搭着凉棚，正在和那女人眉目传情。落款是：冯均衡咕咚隆咚呛。颜查散看罢，付之一笑。

冯均衡说道："咱们哥俩儿有缘相见，不如就交换彼此的扇子做个见面礼吧。"说着，就把颜查散的扇子装在了自己身上。颜查散哪里乐意同他换扇，可没有办法，人家已经将扇子装了起来，也只好作罢。

冯均衡还没完，接着说道：

"时候不早了，颜兄，你们早点休息吧。我再找两本书看看。"说完，直奔书架而去。其实这小子并不是找书。刚才进院子的时候，他碰到了紫鹃。紫鹃是柳金婵的贴身丫鬟，跑到颜公子这里来难免有些奇怪。而且刚进屋时，他看到颜查散似乎在往书里塞什么东西。这小子虽然不学无术，但这事心眼动得可快。他假意借书，实际上是想来查找蛛丝马迹。

翻来翻去，果然找到了一本书，里面夹着一封信。冯均衡如获至宝，连忙说道：

"找到了，找到了。颜兄，明日再见。"说罢，扬长而去。

冯均衡走后，颜查散又想起那封信来，再来寻找，却踪影不见，心想，要坏事。但也没有办法，只好坐等三更。

冯均衡一路小跑，跑回自己房中，关上房门，拆信观看，越看越气，最后气得把信撕了。好啊，美人我是得不到了，都是你个颜查散给害的，你等着，我叫你知道我姓冯的厉害！

他眼珠一转，杀机顿起。转身拉开抽屉，取出一把牛耳尖刀，藏在靴中，又弄了根绳索，缠在腰中。收拾停当后，早早便来到了后花园牡丹亭，藏在一块太湖石后。

紫鹃回到内宅，将情况对柳金婵说了一遍，并且对颜查散的人品外表赞赏有嘉，柳金婵心中很是欣喜。三人收拾了金银细软，看看时间也差不多了，就出发前往后花园。紫鹃提着灯拿着包裹在前面先走一步，万一碰上什么人也好有个掩护，田氏陪着柳金婵走在后面。

紫鹃来到牡丹亭下，看见太湖石后有个黑影，还以为是颜查散呢，轻声喊道："颜公子，颜公子——"

那黑影猛地扑了出来，一把就卡住紫鹃的脖子将她按倒在地，灯笼也被打翻在地。紫鹃仔细一看眼前的这张脸，原来是冯均衡，惊恐不已。冯均衡怕她喊叫，死命卡住她的脖子。可怜紫鹃当场气绝身亡。

后面走着的柳金婵和田氏一看前面灯笼灭了，又听到有骚动的声音，心想肯定是出事了。两人本来心就虚，这会儿已经吓得魂飞魄散了，两人扭头就往回跑。

冯均衡见紫鹃已死，在她身边摸了摸，摸到一个包裹，估计是柳金婵准备送给颜查散的金银珠宝，心想，美人我搞不到了，财宝我可要了。他又将颜查散的那把扇子塞到了紫鹃的身下，这才离去。

时间不长，柳府内打更的就发现了紫鹃的尸体，大惊失色，高声喊道：

"快来人啊，出人命了，可了不得了——"

柳府上下，全动起来了。柳宏领着人就奔牡丹亭来了，听完了更夫的报告，立刻命人四处勘察，看看有没有什么可疑人等或是遗留下什么物品。结果就把颜查散的那把扇子给找出来了。

柳宏打开扇子一看落款，好啊，我待你不周，你就杀我的下人泄愤。来啊，给我把颜查散抓起来，送官！

就这么着，颜查散给稀里糊涂地抓了起来。小雨墨倒是趁乱，拿着冯均衡的扇子，从柳府的狗洞里钻了出去，逃得一条性命。

这地段归祥符县管，知县大人叫应治国，今年六十八岁。老头两袖清风明镜高悬，已经当了九年的知县，颇受本地百姓的拥戴。这天早上，刚刚梳洗完毕，就有衙役进来禀告，说有人来报人命案子。应治国立刻换好官服，击鼓升堂。

柳宏来到堂上，深施一礼，将事情的经过说了一遍。不过他省去了自己待颜查散不周之事，而是说颜查散色胆包天，调戏紫鹃，因奸不允，故将她害死。

柳宏是本地有名的财主，应治国也认识他，听他这么一说，立刻传人将颜查散带上堂来。颜查散哪里见过这个气势，当时就跪倒在地，给应治国磕头。

应治国把桌子一拍，厉声喝道：

"下跪之人，将头抬起来。快快报上名来。"

颜查散将头抬起，说道："禀大人，在下松江府秀才，叫颜查散。"

应治国一看颜查散五官端正，一团正气，不像强奸杀人的恶徒。于是又问柳宏：

"你说他杀了人，证据何在？"

柳宏将颜查散的扇子递了上来，说道：

"这是在紫鹃身下发现的，上面还有他的名字呢！"

应治国打开扇子一看，看见了上面的那四句诗。只见笔力苍劲，字根端正，内容更是令人拍案叫好。心里不禁有些怀疑：像这样有学问的人，怎会干出这等下贱之事呢？他思索片刻，问道：

"颜查散，你怎样与紫鹃约会，为何要将她杀死，又是如何杀死她的，还不快从实招来？"

颜查散一听，心中暗想，紫鹃送来书信，时间不长就回去了，还不到半日光景，就惨死在后花园。难道说，是在领柳姑娘赴约之时碰到了什么恶人，生了变故？有心实说，但一想又不行。如果照实说来，势必会牵连到表妹柳金婵身上，这让她以后还怎么做人呢……

颜查散左思右想犹豫再三，最后一咬牙，说道：

"大人，紫鹃确实是我杀的。她待我礼数不周，我一怒之下，就将她杀死了。"

"那你是怎么杀死她的呢？"

"这——"颜查散回答不出来，只好说道，"不管怎么样，反正她是我杀死的。"

应治国一听，知道其中必有隐情，心想此事还需进一步调查。便说道：

"颜查散，既然你对所干之事供认不讳，那么你就画押招认吧。"

颜查散就这样招了口供。应治国命人将颜查散押入死牢。然后对柳宏说道：

"你先回府，本县还要前去验尸。"

柳府内，应治国带着师爷、随从围着紫鹃的尸首转了又转，检查得分外仔细。最后的检查结果显示：死者身上共有两处伤，一处是后脑勺，头皮擦破，已经是在摔倒时碰伤的。另一处是颈部，有明显的掐痕，是致命伤。随后一行人又去了事发地点进行了勘查，结果表明，那扇子不是遗落的，倒像是故意插到死者身下的，因为泥土被压过的痕迹不一样。应治国心中有数，起轿回府了。

· 53 ·

走到半路上，从旁边的墓地里突然窜出一人来。此人身形极快，如同闪电一般，还没等随从护卫反应过来，他已经来到了应治国的轿前。他一掀轿帘，把头探了进去，对应治国说道：

"应大人，颜查散的案子你要认真查处，不要冤枉了好人，放过了坏人。否则，当心你的狗头。"说完，踪影不见。

应治国吓了一身冷汗，慌张之下，连那人长什么样都没看清，只知道是个年轻人。随从们四下里寻了寻，也没有什么结果。一行人就回奔衙门了。

回到衙门，应治国越想越觉得此事蹊跷，连夜又提审颜查散。可颜查散一口咬定是自己所为，所有口供，依旧如初。应治国也没有办法。

这边应治国正着急呢，那么柳府又出事了。

柳宏将颜查散送交衙门，当天就有丫鬟将此事告知小姐柳金婵了。柳小姐一听，放声痛哭。丫鬟和田氏死劝活劝，才将她劝住。从此，姑娘变得少言寡语，常常一个人发呆。那天，丫鬟和田氏都不在，柳小姐将房门紧闭，搬过一把椅子，在房梁上系了个套，就上吊自尽了。

时间不长，田氏来看小姐，发现小姐已经上吊了，立刻喊人前来营救。等把小姐放下来，柳金婵已经气绝身亡了。柳宏得知后，自然是伤心欲绝号啕大哭。他扑到女儿的尸体上，一边哭一边喊道：

"女儿啊，你为何要自寻短见啊！"其实他心里知道，女儿的死，全是为了表兄颜查散，但他也是有苦难言啊。

柳宏强忍着悲伤，领着下人为女儿操办丧事。柳宏本来是为自己准备的棺材，没想到现在女儿先用上了。这个棺材高有三尺五寸，宽有三尺，长有丈二，用金丝楠木做成，油漆涂面，锃明刷亮。柳宏命下人将女儿生前喜欢的东西，全部放在这个棺材之内。女儿活着没能享够富贵，死后就尽享荣华吧。

仆人们忙作一团，将首饰、珍珠、玛瑙、翡翠、钻石、金条……全部塞进了棺材。这个棺材可值钱了！装殓完毕，柳宏命人将棺材抬到了东跨院的空房之内。这几天，他还要常来看看女儿，所以没有将棺盖钉死，等待出殡之日，再钉死埋葬。

仆人将棺材抬进东跨院的空房之内，又摆好了香案、五供、挽联、白幡，一切料理完毕，众人才慢慢离去。

在众多仆人之中，有一个人叫牛驴子，他家住在柳府后院，跟停棺材的地方只有一墙之隔。这家伙平时游手好闲好吃好赌，见到棺材里放了那么多财宝，不禁有些动心。那些宝贝要是能偷来，几辈子都花不完啊！到了晚上，牛驴子准备了一把斧子，吃了些酒肉，壮了壮胆子，于二更时分，翻墙跳到了院内。这小子走进了灵堂，也不禁打了个冷战，毕竟是放死人的地方，小子又做贼心虚。不过一想到那么多的金银财宝，他又壮起了胆子，快步来到棺材前面。

那棺材盖足有一尺多厚，又沉又笨。牛驴子使出了吃奶的劲才将棺材盖挪开，把眼睛一闭，就准备伸手往里面摸。为什么闭眼睛呢？他哪里敢看啊！突然，他发现手下的柳小姐动了起来，不禁吓得魂飞魄散，一屁股坐在了地上。

# 第六章 峰回路转

　　牛驴子睁开眼睛，定睛一看。那柳金蝉果然从棺材里坐了起来，双手扶着棺材帮，呻吟道：

　　"哎呀，闷死我啦！"

　　原来，那柳金蝉悬梁自尽，并未完全死去，只是一时被过气去了。柳宏光顾着伤心了，也没有想法营救，就匆匆入殓。过了一段时间，柳金婵缓过气来了，醒转过来。正好赶上牛驴子来偷宝，把牛驴子吓了一跳。

　　柳金婵醒过来之后，一看自己坐在棺材里，周围是灵堂布置，大概也明白是怎么回事了。又看见牛驴子拿着斧子，坐在地上，很是奇怪，就问道：

　　"牛驴子，你在这里干什么？"

　　牛驴子很是害怕，问道：

　　"你到底——是人是鬼？"

"我当然是人了，哪来的鬼啊？快，去告诉我父亲，就说我醒过来了。"

牛驴子一听说是人，胆又壮了。心想，反正你也死过一回了，不如再死一回，不然让人家知道了我来偷宝就麻烦了。想到这里，他提着斧子，站了起来，恶狠狠地向柳金婵走去。柳金婵不禁吓得花容变色。

正在这千钧一发之际，突然从屋外跳进一人来，只见他从百宝囊中掏出一块飞蝗石，对准牛驴子的手腕，"啪"就打了过去。

牛驴子"哎哟"一声，斧子落地。

·57·

那人一转眼便来到了牛驴子面前，一脚就将牛驴子踢倒在地，从背后抽出刀来，一刀将牛驴子的脑袋砍下。此人不是别人，正是锦毛鼠白玉堂。

白玉堂与颜查散分手后，来到了京城。他来京城主要是为打听展昭的下落。问来问去，才知道展昭还没有回来，没有办法，只好赶奔双星桥柳家巷，来看望颜查散。不想到了柳家巷，才知道出事了。本来他想施展武功把颜查散救出来，但后来想想万一弄巧成拙就不好了。于是决定先来柳家打探一下，找些线索，再做打算。没想到无意之中救了柳金婵。

白玉堂斩了牛驴子后，初时对柳金婵也有些忌惮。后来弄明白了是怎么回事，又问明了姓名，才知道这位女子就是自己的盟嫂，当下施礼见过，又做了自我介绍。白玉堂安慰了柳金婵几句，告诉她自己一定会尽力将颜查散救出，便嘱咐她一定要将今晚的事守口如瓶。然后扯着嗓子喊了两句"小姐还阳了"，便一纵身隐入了黑暗中。

柳宏闻听女儿复活了，自然十分高兴。又将牛驴子的尸首埋到了野外，并嘱咐下人不得走漏半点风声。

次日上午，白玉堂来到了祥符县的监狱。

这座监狱，紧挨着县衙。白玉堂走到门前，两个看门的衙役拦住了他。白玉堂一拱手，说道：

"我是颜查散的朋友，想进去探望一下他。还请二位行个方便。"

两个衙役正要阻拦，看见白玉堂从衣服里拿出了两块银子，每一块都足有三十多两。白玉堂将银子递过二位，说道：

"二位辛苦了，拿着喝点茶吧。"

两个衙役立刻笑逐颜开，其中一个先进去通报。时候不长，那衙役出来将白玉堂带了进去。

关颜查散的地方是死囚待的地方，条件极其恶劣。头顶全是蜘蛛网，地上都是耗子洞，肮脏不堪，臭味熏天。白玉堂强忍着，来到了颜查散的牢前。看颜查散，可把白玉堂心疼坏了。只见那颜查散手上带着铁铐，脚上挂着铁链，面黄肌瘦，眼窝深陷，头发乱糟糟。白玉堂看罢，心中难过；紧走几步，来到颜查散身前，单膝跪倒，扶住颜查散说道：

"大哥，你受苦了！"

颜查散抬头一看，是白玉堂，不禁一愣，随后眼圈发红，鼻子发酸，不过还是忍住了，对白玉堂说道：

"哥哥我杀了人，就快被杀头了。你还是快快走吧。"

"哥哥莫怕，我知道你是被冤枉的，待我把锁打开，救你出去。"

"这是有王法的地方，怎么容你这样胡来？"

"王法？哈哈哈！"白玉堂哈哈大笑起来，"哥哥你有所不知，我从来不把王法看在眼里。我亲手杀过的赃官恶霸不计其

数，不知为民除了多少害。还把这小小的祥符县知县放在眼里吗？如果把我惹急了，我定要闯上公堂，把狗官应治国的脑袋揪下，把官差衙役全部杀光。"

他这一番话，听得旁边的衙役吓了一大跳，浑身都打哆嗦。他们仗着胆子，问道：

"敢问这位英雄，您是哪一位啊？"

"我乃卢家庄的五鼠兄弟，绰号锦毛鼠，名叫白玉堂。"

衙役一听，"扑通"跪倒在地，连忙捧出刚才收下的银子，磕头求饶。

白玉堂说道："起来，给你们的银子就拿着，没有你们的事。不过我大哥现在住的地方实在是差了点——"

还没等他说完，衙役们立刻打扫卫生、卸除刑具，转眼之间，死囚牢房变成了客店。

·59·

白玉堂又掏出一堆银子，让衙役到外面，自己好和颜查散聊聊。白玉堂希望颜查散能够将事实真相讲出来，好想办法帮忙。但颜查散死活不说，后来被逼急了，只好将事情经过讲述了一遍，一边说一边还掉眼泪。

"颜兄，你真是念书念傻了！你以为你招认成凶手就可以保全柳小姐吗？你可知道，她已经上吊自杀了。"

颜查散一听之下，差点晕过去。白玉堂连忙将事情经过说了一遍。得知柳金婵已经活了过来，颜查散才将心放下。两人正在商量对策，衙役进来了，说外面有个叫雨墨的想进来探监。颜查散一听是雨墨，急忙让衙役带他进来。

自从那天晚上出事后，雨墨拿着冯均衡的扇子从狗洞里逃了出去，先是在庄稼地里藏了一晚，第二天便跟着押送颜查散的囚车来到了祥符县县衙。几天来，他一直在监牢外打听消息，想进去探监，苦于衙役如狼似虎，无法进来。今天早上，雨墨又来监牢门口试探，说自己是颜查散的书童，想来探望颜查散。因为白玉堂刚刚进去，衙役怕此人和白玉堂也有关系，不敢得罪，于是进去禀告。小雨墨这才得以进去。

主仆二人相见，又是一场大哭，彼此诉说了各自的经历，唏嘘不已。三人再作商议，一时也想不出什么办法，不过白玉堂决定先带着雨墨在外面打探风声，看看有什么新的消息，尽力救颜查散出来。颜查散也想不出别的方法，也只好这样，三人不舍而别。

白玉堂带着雨墨离开了监牢，先找了一个客店住下。二更时分，白玉堂起来了，换好夜行衣，背好单刀，挎好百宝囊，轻轻地推开房门，一纵身，隐入黑暗之中。白玉堂要去哪里？他要去开封府，找包大人。

白玉堂轻功了得，不一会儿便来到开封府外。开封府门口灯笼高挂，军校守卫，戒备十分森严。白玉堂看罢，正门是不能走的，一转身，来到了西胡同内。开封府的围墙，高有一丈五六，白玉堂脚尖点地，"噌"就蹿上了大墙。接着，用飞蝗石探路，见没有动静，才跃下高墙，跳到天井当院。略定心神，便去寻找包大人的卧室。

此时已到半夜，白玉堂找来找去，发现有一间房内还亮着灯。他蹑步来到窗前，用舌头轻舔窗纸，轻轻一捅，凝神观瞧，包大人果然在里面。里面还有两人，是包兴和李才，正在伺候包大人歇息。时候不久，里面的灯熄了，两人带上房门，退了出去。

白玉堂又等了一会儿，估摸着差不多睡着了，这才推门进屋。因为开封府内的房门都是不锁的，所以一推就开。白玉堂来到书桌前，铺开公文纸张，提笔在手，写了四个大字："颜查，散冤"，上面两字"颜查"，下面两字"散冤"，这样写是为了引人注意。然后白玉堂又掏出匕首，将写好的纸条钉在床头。一切收拾停当，白玉堂来到院中，高声喊道："有人来了！"随后一起身，跳上了房顶。

白玉堂一喊，把李才、包兴都惊醒了，两人负责伺候包大人，万一有个什么闪失可担待不起，自然不敢怠慢，立刻来到包大人房中。包公也起来了。包兴将灯点上，只见床头插着把匕首，匕首上还有一封信。几个人都吓了一大跳，这要是来刺杀包大人的，包公早就一命呜呼了。

包公将刀取下，打开信一看，上写："颜查，散冤"。包公不解，问道：

"刚才谁进屋了？"

包兴、李才自然不知。包公让他们立刻去找人来，二人跑到院中就喊开了。时候不大，只见开封府里的张龙、赵虎、王朝、马汉、董平、薛霸、李贵、娄青、耿春、杜顺、江樊、黄茂、红笔先生公孙策，草上飞项福全都来了。一个个穿戴整齐，高举火把灯笼，将内宅团团围住。

众人问明情况，四下里搜寻。白玉堂看见包大人已经将字条展开看了，便已离去，哪里还找得到。一通折腾，天已放亮。包公还要上朝，便将字条先装在了身上，起轿上朝。

白玉堂回到了客店，看看雨墨也已经醒来，便对他说：

"雨墨，今天就要看你的了。等会包大人下朝，你去拦路喊冤，只要包大人听到你喊冤，你家公子就有救了。"

"那我怎么喊呢？"

白玉堂便如此这般地教了雨墨一遍，完了让雨墨重复了一遍。雨墨很聪明，记了个清清楚楚一字不差。白玉堂这才放心。二人用过早点，白玉堂带着雨墨来到了正阳大街。正阳大街是包大人下朝的必经之道，此刻已经是人山人海，拥挤不堪。人们都想看一看有名的包青天。白玉堂让雨墨挤到人群前面，准备喊冤，自己站在不远处看着他，为他壮胆。

时候不大，包大人的轿子就来了。先是铜锣开道，旗锣伞盖，亲兵卫队，然后才是包大人的轿子，轿子两旁还守了张龙、赵虎等十二位勇士，后面还跟着李才、包兴，浩浩荡荡气势不凡。

小雨墨是头一次见这种场面，也是吓了一跳。但一想到自己的主人能否得救就要看自己的表现了，便鼓足勇气，高声喊道：

"颜查——散冤！颜查——散冤！"

包大人听到有人喊冤，而且与晚上收到的信中的内容吻合，当下命令停轿，让张龙、赵虎前去看看是怎么回事。一会儿，张龙、赵虎带着一个小孩来到了包大人面前。包大人一看，这个小孩至多十四五岁，圆圆的脸蛋，水汪汪的大眼睛，五官端正，十分俊秀，就问道：

"你有什么冤情啊？"

"回大人，我不冤枉。"

"你不冤枉，谁冤枉啊？"

"颜查散冤！"

包公一听，知道里面必有隐情，于是带着雨墨回了开封府。

到了开封府，包大人立刻命令击鼓升堂。开封府升堂，与众不同，是开放式的，老百姓都可以进来看的。两班站堂军都已就位，各种刑具也摆放整齐，包大人身着官服，升堂就位。包大人将惊堂木一拍："来呀，带告状之人！"

雨墨被带到了堂上。这是他第一次上公堂，而且上的是开封府的公堂，那气势那氛围，当时就把雨墨给吓趴下了，两腿一软，跪倒在地。

"小人雨墨，叩见青天大老爷。"

"你多大年纪？"

"一十五岁。"

"哪里人氏？"

"家住松江府花亭县金家庄。"

"你有何冤枉，快快讲来。"

"回大人，我不冤枉，我家公子冤枉啊！"

"你家公子叫什么？"

"我家公子叫颜查散，字春敏。"

"噢！"包大人眼珠一转，想起昨天晚上之事，问道，"我且问你，昨夜晚间是何人闯入我府，寄柬留刀的？"

"我不知道。"

"你不知道？你不知道为何今日你喊冤之词和昨日留柬之词一模一样？"

"我真的不知道。难倒还有人也为我家公子喊冤？那可太好了，我家公子确实冤枉啊，包大人，你可要为我家公子做主啊！"

"你小小年纪，就有此勇气和胆量拦轿告状，背后定有人指使，而且必和昨晚留柬之人有关。你还不从实招来？"包大人说着，把眼睛一瞪。

雨墨其实也很害怕，但白玉堂同他有交待，让他不要说出自己，所以雨墨坚持不说。

包大人一看，"啪"一拍惊堂木，说道："来啊！狗头铡伺候！"

霎时间，张龙、赵虎就把狗头铡抬到了堂前。

包大人的铡刀分龙、虎、犬，都是刑外之刑、法外之法，有先斩后奏之权。刀床用楠木做成，长有六尺，宽有尺半。这口狗头铡，为四尺多长的铡刀，一寸多厚的刀背，前面是狗脑袋，刀把是狗尾巴。铡刀两侧是马牙钉，有半尺多高。专管老百姓中的不法之徒。

"雨墨，你到底说是不说？"

"大人，我什么都不知道，你让我说什么啊？"

"小小顽童，还敢狡辩。来啊，把他的双足铡掉！"

王朝、马汉上来，将雨墨的裤脚卷起，鞋、袜脱掉。接着，赵虎将刀把提起，张龙将他的双脚放在了刀下。

这下可把雨墨给吓坏了，小脸惨白，浑身直打哆嗦。但为了救自己的主人，还是咬牙坚持着。

下面听堂的老百姓也吓得大气不敢喘一口，没想到一上来就要铡人。白玉堂在下面也吓得够呛。心里想：都说包拯是个清官，怎么这么不问青红皂白呢？不行，我要救雨墨。想到这里，白玉堂就准备上去救人。

"雨墨，我再问你一遍，昨夜留柬之人到底是谁？"

"我真的不知道。"雨墨也是豁出去了。

包大人这个气啊！一拍桌子："来啊，行刑！"

赵虎手扶铡刀把，往左右一晃，碰得马牙钉"叮零零"直响，但就是没有下铡。

原来包大人有个规矩：如果高喊铡人，那是吓唬犯人，赵虎就用铡刀磕碰马牙钉；如果抖擞袖袍，并用袖袍遮面，那就是真铡了。所以赵虎并没有下刀。

雨墨吓得都快背过气了，听到马牙刀响了一阵，自己的双脚在腿上，不禁十分奇怪。偷偷睁开眼睛，看了看四周，心里有了主意。雨墨趴在地上就哭开了：

"包大人啊！自从您当了开封府尹，百姓无不笑逐颜开，称您是擎天白玉柱，架海紫金梁。为此，我跋山涉水不远千里，来到您这儿。本指望您能为我家公子伸冤，没想到您不问公子冤情，却非要逼问昨晚留柬之事。我本来不认识那人，你让我如何回答？您这不是强人所难，屈打成招吗？过去我听说您是包青天，今日一见，您比那昏官也好不了多少。我死了不要紧，只是我家公子就要冤沉海底了。"雨墨越说越伤心，一席话说得下面的老百姓都不住地点头。

包大人审案无数，经验丰富。心说这孩子倒也精灵，我何不先缓一缓，再来问他。想到这里，包大人问道：

"雨墨，此事先放在一边。我再问你，你家公子颜查散到底有何冤枉，还不快快讲来。"

于是雨墨便将事情讲述了一遍，只不过对颜查散被抓之后，应治国审讯那一段添油加醋大大夸张：说什么柳宏上堂之后，偷偷塞给应治国三百两银子；应治国不问青红皂白严刑拷打，最后颜查散屈打成招。为什么要这么说，他怕不这么说包大人不重视，就在这发挥想像使劲地编，而且说得声情并茂十分感人。

包大人听完他一席话，心里说：应治国啊应治国，原来你也是个贪官！但转念一想，这个小孩鬼头鬼脑精明过人，难保话中没有胡编乱造的成分，我也不能听他一家之言，就枉下结论。想到这里，包大人说道：

"雨墨，你方才所言，可句句属实？"

"没有半句假话，小孩子哪里会说假话？"

"公堂之上，非同儿戏，你可敢画供？"

"画就画，有什么了不起的！"雨墨说罢，将供画过。

包大人命人将雨墨带下，随后，抽出两支飞签，命王朝、马汉赶奔双星桥柳家巷，将柳宏、冯氏、冯均衡拘捕。又命张龙、赵虎，赶奔祥符县，让应治国带着颜查散和所有口供，到开封府回话。

王朝、马汉，张龙、赵虎各自领命，快马加鞭而去。

时候不大，王朝、马汉来到了柳家。柳宏得到消息，出来迎接，那冯氏也跟着出来了。王朝、马汉问明姓名，"哗啦啦"将柳宏和冯氏都给套上了镣铐。正在往外走时，突然看见一书生模样的人在门前一探头，就闪身而过。王朝一个箭步就冲了出去，那书生正想走掉。王朝对着那书生大喝一声：

"呔！什么人？"

那书生一听王朝的声音，浑身颤抖，瘫软在地。

# 第七章 花明柳暗

王朝喝停了那书生，走上前去，进行查问。那书生哆哆嗦嗦地说道：

"学……学生冯均衡。"

王朝一听，心想真是"踏破铁鞋无觅处，得来全不费功夫"，大声喊道：

"来啊！将他也锁上，带回开封府！"

时间不大，该抓的都抓了。王朝、马汉将柳宏、冯氏、冯均衡都带到了车上，正要启程。田氏从院里跑了出来，说道：

"上差大人，我是柳小姐的乳娘。此案的情由，我知道一二，愿前往大堂作证。"

王朝、马汉一听，那正好，一起走吧。一行人收拾停当，直奔开封府而去。

张龙、赵虎此时也已到了祥符县的县衙。毕竟应治国是一县之官，现在也没有确凿证据证明人家贪污枉法，因此张龙、赵虎到了门口，先让门口的差人进去禀报一声，就说让他带着颜查散到开封府回话。

差人进去对应治国一说，应治国立刻就冒出了一身冷汗。他知道包大人的厉害，也怀疑此案另有隐情，虽然自己在审案过程中并没有什么不当之举，但如果颜查散见了包拯之后翻供，麻烦就大了。想到此处，应治国让差人先把张龙、赵虎他们带到客厅待茶，说自己随后就到。然后又命人将颜查散带到内宅，他要和颜查散交待几句。

时候不大，颜查散被带到。颜查散双膝跪倒在地，说道："罪犯给大老爷磕头了！"

"颜查散，自本县问案以来，可曾对你逼过口供？"

"没有。"

"可曾对你非刑拷打？"

"没有。"

"那杀人凶手，可是你自己招认，我从未逼过你吧？"

"没有。"

"现在你的案子已经惊动了包大人，马上我就要带你去见包大人，到时该怎么说你知道吧？"

"大老爷，我心里有数，你就放心吧。"颜查散抱着必死的决心也要维护柳金婵的清誉，所以别的一切他都不放在心上了。

应治国这才带着颜查散去见了张龙、赵虎。张龙、赵虎禀明来意，应治国急忙传令，准备车马，一行人赶奔开封府。

就在他们快要走到开封府时，官道上来了一人。张龙、赵虎一看，可乐了。来者正是南侠御猫展昭展雄飞。二人同时喊道："展老爷，您回来的可正好啊！"

展昭将颜福护送回家后，心里合计。如今，白玉堂去开封找我麻烦，我若不在，他不定会怎么折腾开封府和包大人呢，万一在天子脚下出了什么事，麻烦可就大了，我得赶快回去。于是他先回到家中，将事情料理了一番，这才赶奔京城。没想到，在这里遇上了张龙、赵虎。

时间紧迫，张龙、赵虎也没有和展昭交待太多，反正马上包大人就要开庭审理，一行人就回了开封府。众人见展昭来，一起向他打招呼。展昭一一回礼，便进了内宅，换了官服，去拜见包大人了。

就在众人向展昭打招呼的时候，白玉堂就站在人群之中。他一看，原来这位就是"御猫"展昭啊！好，待我颜兄的案子了结之后，我再好好地会会你。

展昭来到堂上，见过了包大人。包大人看到展昭来，自然十分高兴。包大人心疼展昭旅途疲累，让他先去歇息。展昭自是不肯，留在了堂上伺候。

张龙、赵虎、王朝、马汉都已回来复命。包大人点点头，说道：

"先带雨墨上堂。"

时候不大，雨墨被带了上来。包大人看着雨墨，说道：

"雨墨，按你方才所讲，我已叫人将可疑之人悉数带到。现在，你要仔细考虑，若口供不实，还可以更改，否则如果最后证明是你在撒谎，我决不饶你！"

"我讲的都是实话，绝不变更。"

"好！"包大人一拍桌案，厉声喝道，"来人，带柳宏！"

柳宏来到堂上，扑通就跪倒了，口尊："相爷在上，罪民给您磕头了。"

"抬起头来。"包大人定睛一看，只见此人一张大脸盘，两道抹子眉，眼神不定，印堂发暗，便问道：

"下跪何人？"

"罪民柳宏。"

"哪里人氏？"

"原籍为松江，后迁到双星桥柳家巷。"

"颜查散是你什么人，因何将他扭送到祥符县衙？"

柳宏便事情经过说了一遍，但没有提及颜查散和柳金婵的婚事，也没有说自己待颜查散不周。包大人听完，问道：

"我再问你，你和颜查散除了舅甥关系，还有什么别的关系吗？"

"没有了。"

"真的没有了吗？"

"回大人，真的没有了。"

包大人还没说话呢，旁边跪着的雨墨急了，喊道：

"柳宏，在包大人面前，你怎么睁着眼睛说瞎话呢？我家公子和你家小姐早已订婚，你是我家公子的舅舅，也是他的岳父，你怎么不说呢？"

包大人一听，便问道："柳宏，可有此事？"

"啊，确有此事。刚才一急，我给忘了。"

"哼！忘了？公堂之上，竟敢哄骗本阁。来人，先给我拖下去重打四十。"

张龙、赵虎、王朝、马汉"哗"就上来了，把柳宏拖了下去，"噼里啪啦"打了起来。那柳宏已年过花甲，哪里受得了这个，连声高喊："相爷饶命，相爷饶命啊！"

包大人还想从他嘴里取供，打他只是为了让他老实一点。

所以，刚揍了十来棍，便命手下住手，将他再次带上堂来。

柳宏哪里还敢隐瞒，一五一十将该说的都说了，然后画供，跪到了一旁。

包大人又命人将应治国带了上来。应治国早有准备，他将乌纱帽摘下，手托颜查散的全部口供和验尸表单，来到堂前，跪倒施礼。

雨墨前面的口供，使得包大人对应治国的印象多少有些不佳。包大人先将颜查散的口供和验尸表单接过来看一遍，还有那把十分重要的颜查散的扇子。包大人看到那把扇子上的题字，不由得吃了一惊。心想：这字写得真好，气势磅礴，有骨有肉。从诗句看，此人壮志凌云，气势磅礴。这等非凡之人，怎么会干出那种苟且之事呢？他把扇子放下，问道：

"应知县，你速把案情禀告于我。"

应治国立刻将柳宏怎么将颜查散送到大堂，自己又是怎么问案，如何勘察现场的经过说了一遍。包大人听完，把脸一沉，又问道：

"柳宏上堂，给了你什么东西？"

"相爷，什么都没有啊？"

"没有？来啊，雨墨，当堂对供。"

雨墨跪爬了几步，来到应治国面前，看了他几眼，然后说道：

"对，是他。相爷，就是他。这老头才缺德呢，那柳宏上堂之后，就给了他一包银子。"

应治国一听，不由得一愣，说道：

"孩子，你可不要信口雌黄胡说八道啊，我什么时候收过柳宏的银子？"

"我看得真切，一点都没错。"

"你根本就是睁着眼睛说瞎话,我什么时候做过这种缺德事?"

这一老一少你一言我一语,就在堂上吵开了。各说各的理,一时间倒也真假难辨。包大人静听片刻,便命雨墨先退在一旁,冲着应治国说道:

"应治国,先休提此事,先禀报案情吧。"

应治国说道:"回相爷,我也觉得此案疑点颇多。但那颜查散一再招认自己就是凶手,卑职我能力有限,实在审不清,还望相爷裁决。"

包大人听罢,立刻传令带颜查散。

颜查散在下面等了也有好一会了,早已打定主意:如果改变口供,就对不起应大人了,而且说出实话,还会牵连到表妹柳金婵,如果将她也带上公堂,她以后还如何见人?所以,坚决不改口供。颜查散上得堂来,"扑通"跪倒,口尊:

"给相爷磕头了!"

包大人吩咐颜查散抬起头来。包拯定睛一瞧,此人脸上一层怨气,面色呆滞,两腮深陷,二目通红,一副书生模样,并不像凶手。包大人略停片刻,开口说道:

"颜查散,你还不快快招来?"

"相爷容禀!小人家住玉麟村,这次来舅父家投亲。那丫鬟紫鹃以奴欺主,对我礼貌不周,一怒之下,我才将她掐死。"

雨墨在旁边一听,当时就急了,还没等包大人说话,就爬了过来,说道:

"少爷,你疯了?我历尽千辛万苦,来到开封为你喊冤。包大人明镜高悬,重新审理此案。你应该实话实说,怎么还供认自己是凶手呢?那天晚上,我们主仆不离左右,你什么时候跑去杀人的？"说到此处，放声痛哭起来。

颜查散长叹一声，低头不语。

包大人看在眼里，记在心里。他一拍桌案，喝道：

"颜查散，快快将实情说出！"

"相爷，我刚才之言，都是实情。"

"那我问你，你和柳宏什么关系？"

"他是我舅舅，我是他外甥。"

"你此番前来投亲，还有没有别的原因？"

"没有了。"颜查散怕连累柳金婵，死活不说。

包大人连问了三遍，颜查散始终如一。包大人略一思索，让颜查散先跪在了一边。又传冯氏上来。

那冯氏一上公堂，就把事情推在一边，一再声明此事与自己无关，也问不出什么东西来。包大人让她也跪在了一边。又传冯均衡。

冯均衡来到堂前，给包大人磕了一个头，说道：

"给大老爷磕头了。"

"下跪何人？"

"冯均衡。"

雨墨一看冯均衡上堂，立刻向前爬了几步，将冯均衡的扇子呈上，说道：

"包大人，就是他，换了我家少爷的扇子。"

包大人接过扇子，展开一看，不住地摇头，气冲两肋，喝道：

"冯均衡，这扇子可是你的？"

"正是学生的。"

"上面的画可是你画的？"

"不才，正是学生。"

"那你和颜查散换扇一事可否属实？"

"我未曾和颜公子换过扇子，我曾去拜访过颜公子，和他对过对子。扇子可能是我走的时候遗落在他那里了。"

雨墨急忙开口说道："他撒谎！他不仅和我家少爷换扇，还将柳小姐给我家少爷的信偷走了。这小子形迹可疑，不是个好东西。"

冯均衡一听，心中不禁一惊，浑身都哆嗦，忙说道：

"大人啊，我根本没有见过什么信。他，他血口喷人！"

"你离开书房后去了哪里？"

"我回去睡觉了。"

"后来呢？"

"后来，我听到院里大乱，出来一看，才知道颜查散将人杀死了。"

包大人听罢，又问颜查散："这些事情，你为什么不说？"

"回相爷，我头脑混乱，一时记不起来了。"

"那你到底是不是凶手？"

"千真万确，真是小人。"

"来呀，让他画供。"

颜查散画完了供，包大人吩咐左右道：

"铡刀伺候，将他腰断三截！"

# 第八章 真相大白

包大人一声令下，张龙、赵虎就上前将颜查散拖了下去。

雨墨一看，吓得魂飞魄散，号啕大哭。颜查散已经管不了这么多了，他只求一死，以保全表妹的名声。他把眼睛一闭，任人摆布。

张龙、赵虎把他塞进了铡内，就要动刑。

就在这千钧一发之际，一个门军飞跑进来，跟站堂军说了几句。那站堂军又禀报了展昭。展昭听罢一愣，忙走到包大人跟前，说道：

"相爷，等一等。"

"何事？"

"刚才，柳府有人来报，说丫鬟紫鹃复活了。"

"噢，竟有此事？"

"说她已经来到堂外，非要上堂不可。"

包大人急忙传令，让紫鹃上堂。

这究竟是怎么回事呢？原来，那紫鹃虽然被冯均衡掐着脖子咽过气了，但是，并未真死。幸好，应知县也没有将她即时埋葬。过了两三天时间，她又缓过气来了。醒转之后，知道了前因后果，立刻赶奔开封府，上堂作证。

紫鹃一来，真相自然大白。那冯均衡也无法抵赖，只好画供招认。

包大人又将应治国叫来，问他是否将颜查散屈打成招。应治国如实回答，颜查散也帮忙作证。这时，雨墨看自家公子也没有性命之虞了，也都如实说了。什么贪污受贿，什么屈打成招，都是他编的。包大人听完，哭笑不得，念他是个孩子，又是救主心切，也就不再计较了。

包大人当着应治国，嘱咐道："日后，再遇上棘手的案子，要来开封府找我。我们一起商议案情，你看可好？"

应治国求之不得，当下谢过。

接着，将冯氏带上。冯氏的罪恶，已经由乳娘田氏揭出。她怂恿柳宏，欲杀颜查散，为的是让冯均衡插足，谋夺财产。包大人传令：把冯氏掌嘴三十。

包大人又传柳宏，气他忘恩负义嫌贫爱富小人势利，命人将其拖下，乱棍打死。颜查散急忙挺身而出，为舅舅求情，包大人这才饶过柳宏。柳宏自是感动不已，痛哭流涕。

包大人通过审理此案，了解了颜查散的人品，知道了他的才华，也了解了他的抱负，又念他是忠良之后，于是决定收他为徒。颜查散自然高兴允命。

包大人又传下堂谕，将冯均衡腰断两截。

最后，包大人命柳宏、冯氏，将颜查散主仆接回家中，并让他们择日完婚。

这桩官司，终于审理完毕。听堂的百姓，无不拍手称赞。心里说，好清官啊！就听得人群之中，有一人高喊："好，不愧是包青天啊！"此人非是别人，正是锦毛鼠白玉堂。

这一嗓子，把大堂上震得"嗡嗡"作响。包大人最不爱听奉承话了，他把脸一沉，命人立刻查看是谁咆哮公堂。差人出去查看，哪里还看得到。白玉堂早就走了。

包大人无奈，抖袖退堂。

白玉堂离开开封府，回到客店，先埋头睡了一觉。醒来之后，白玉堂心里合计：颜兄的事情就算是告一段落了，但我和展昭的事情还没完呢。若不叫他抠掉"御猫"二字，我就不叫锦毛鼠。想到此处，白玉堂下定了决心。

·77·

天到定更时分，白玉堂换好夜行衣，背起单刀，斜挎百宝囊，悄悄离开客店，直奔开封府而去。

白玉堂来到开封府外，还是和上次一样，从西边的胡同进去。这次他路熟了一些，直奔前院的校尉所。到了校尉所的院墙上，朝下面一看，只见校尉所内灯火通明，热闹非凡。里面有二十多人，分别围坐在两张桌子前，正在吃喝。展昭、张龙、赵虎、王朝、马汉、公孙策等等都在这里，正在为展昭接风洗尘呢！

白玉堂隐在树后，想先听听他们说些什么。只听那赵虎问道："展老爷，您为何提前回府了？"

展昭抱拳道："回家省亲已毕，闲来无事，便启程回来了。"

"不对吧？您刚回府，就急着找包大人面谈，我看肯定有什么事瞒着我们兄弟。大家都是自己人，有什么事不能说的？"

"各位，跟你们说可以，但你们千万不能让包大人知道啊！"

众人不禁一愣，什么事还不能让包大人知道？展昭于是把自己受封"御猫"称号，得罪了陷空岛的五鼠兄弟的事告诉了大家，并让大家格外留意，因为四鼠已经上东京了，说不定什么时候就会来找开封府的麻烦了。

赵虎听了不以为然，说道：

"什么五鼠？不就是五只耗子嘛！展老爷，您那外号是皇上封的，又不是自己起的，跟他们有什么关系？退一步说了，就算是您自己起的，他们还敢如何？那锦毛鼠是个什么东西，敢来开封府找您论高下？他要没来算他走运，他要是来了，不用展老爷您出手，我就先把他给收拾了。我也不用别的，只用一壶开水，就能将他的耗子毛褪掉。"赵虎也是喝多了，在这说大话。众人听了也是哈哈大笑。

躲在外面的白玉堂可笑不出来，不仅笑不出来，而且气得钢牙紧咬。他从百宝囊中掏出一块飞蝗石，瞄准赵虎，"嗖"就打了过去。

赵虎正端着酒杯，准备往嘴里倒呢，猛然间，一块硬物飞到了眼前，"啪！"，不但将酒杯打碎，还打掉了两颗门牙，鲜血立刻流了下来，疼得他"嗷"一声大叫。

展昭知道不好，"噗"一口将桌上的灯吹了。众人也学展昭，把屋里的灯都吹了。屋里顿时漆黑一片，众人都躲到了墙角边，观察动静。

白玉堂艺高人胆大，见屋内熄了灯，"噌"就跳到了院中，拽单刀，抖丹田，高声喝道：

"呔！姓展的，还有那个姓赵的，你们不要装英雄好汉，赶快出来送死，你家白五爷到了！"

此时正是夜深人静之时，白玉堂这一嗓子，非常清楚，大家一听，纷纷议论：白玉堂还真敢来，好大的胆子。展昭嘱咐大家不要轻举妄动，他自己抽出宝剑，"噌"一个箭步跳到门后，说道：

"外面的可是白五爷？"

"正是你家五爷！"你说这白玉堂猖狂不猖狂？

展昭把门拉开，又突然关上，又拉了两下，这才陡然窜出。

白玉堂一看，哈哈大笑，说道：

"姓展的，你也太小心了。你家白五爷光明磊落，不会暗箭伤人的。"

· 79 ·

这时，张龙、赵虎、王朝、马汉等人也都来到了院中，大家一字排开，定睛观看。只见白玉堂站在院中，煞是抢眼。为什么呢？因为白玉堂穿的夜行衣与众不同，别人的夜行衣都是黑色的，而他的是白色的。月白色的绢帕罩头，月白色的箭袖，月白色的十字裥，往那儿一站，跟道白光似的。再加上他手里的明晃晃的钢刀，更显得威风八面。连开封府的人也不禁在心里暗暗叫好。

展昭单手提剑，迈步上前一拱手说道："五弟，你从何而来？到了开封府，就算来到家了，来，我们屋里讲话。"

"你少和我套近乎，谁是你五弟？姓展的，今天我是来和你算账的。"

"五弟，为何如此动怒啊？有什么话可以慢慢讲嘛！"

"我来问你，'御猫'可是你的外号？"

"不错。"

"实话告诉你，我就是冲着你的外号来的。你若听我的话，将这个外号立刻摘掉，也就罢了，否则，可别怪我手里这把刀不认识你！"

"五弟，这个外号是皇上御赐的，我若无故摘掉，那可是掉头之罪！请容我禀明包大人，上奏皇上，由万岁把它去掉，你看可好？"

"姓展的，你少和我兜圈子。去个外号，还要请示皇上吗？分明是你舍不得去掉，看来你是有意和我们五鼠为敌了。废话少说，看刀！"

白玉堂说罢，挥刀便砍。展昭一闪身，让过这刀，说道："五弟，你听我说——"

白玉堂不依不饶，上去又一刀，展昭又闪开了。这下白玉堂可真急了，左一刀、右一刀、上一刀、下一刀、前一刀、后一刀，刀刀不离展昭的要害。

展昭见白玉堂不听劝告，十分为难。前面十几招展昭并未还手，后来见白玉堂招招狠手刀刀要害，实在没有办法了。展昭这才晃动宝剑，虚晃了一招，跳出圈外，说道：

"五弟，这里是开封府。你手拿凶器，夜闯官府，已经犯了杀头之罪。我好歹也是个四品带刀护卫，你刀刀要取我性命，岂不是罪上加罪？不说公事，论私交，我与你往日无怨，今日无仇，为何一定要与我过不去呢？现在，你听我良言相劝，赶快离开开封府，改天咱们约个地方，再切磋。不然若是惊动了包大人，咱们谁也担当不起呀！"

白玉堂一听，哈哈大笑，说道：

"展昭，你才披上这身官袍几天，就满嘴官词了。什么'惊动了包大人'，他算个什么东西？我若闹了，一刀把他的黑头砍下。废话少讲，看刀！"说着，就是一刀。

展昭一看，不打不行了，只好挥宝剑与白玉堂战在一处。

这边两人打得难解难分，那边已经有人报告包大人了，包大人一听，立刻赶到前院。只见黑白两条人影上下翻飞疾如流星快如闪电，打得天昏地暗。包大人高声喊道：

"展昭，给我狠狠地打，千万别让他跑了。"

展昭一听，知道包大人来了。心想，这下可麻烦了。若包大人没有来，这事我怎么处理都好说，现在包大人来了，只好公事公办了。可展昭又不忍心伤了白玉堂，他想了想，突然想出一计。

展昭用的是"湛芦"宝剑，白玉堂用的是一般的钢刀。展昭心想，我只要将他的刀削断，他若一跑，那不就没事了嘛。想到这里，展昭晃了个虚招。白玉堂一看有机可乘，挥刀便砍，展昭一招"仙人指路"，一剑直刺白玉堂的眼睛，白玉堂连忙用刀去挡，展昭就势一剑挥在钢刀上，那钢刀立刻被削成两半，刀头掉在了地上。

白玉堂一看，将手中剩下的半截刀朝展昭一抛，转身"噌"的就飞身上了墙，高声喊道：

"姓展的，你仗着宝剑才赢了我，你家白五爷不服，君子报仇，十年不晚。咱们后会有期！"说完，转身就要走。

包大人一看，连忙吩咐道："展昭，快抓住他，别让他跑了。"

包大人一声令下，展昭哪敢不听，当下也跃上高墙，追赶白玉堂，一边追一边还喊：

"白玉堂，你往哪里走？"

其实展昭这个追是假追，脚上并未加劲，但白玉堂不知是假追，他见展昭追来，心里更慌。他从百宝囊中抽出一只袖箭，回头对着展昭的咽喉就打了过去。

# 第九章 夜入皇宫

白玉堂心中也念展昭是个英雄，也不想要了展昭的性命，所以出手的时候略微高了一些，想打下展昭的头巾，吓一吓他也就算了。

展昭本来追得就不紧，突见前面白光一闪，就知道白玉堂使暗器了。展昭赶紧缩颈藏头，可惜还是躲得慢了点，袖箭正好打在展昭的头巾上。"啪"，头巾落地，吓得展昭出了一身冷汗。

白玉堂站在那里，狂声冷笑："咱们后会有期吧！"说罢，扬长而去。

这时，众人也都赶到了。连忙问道："展老爷，有没有受伤？"

展昭摆摆手，望了望白玉堂的背影，摇了摇头，带着大家回去了。回到府中，包大人也很关心展昭，看看展昭没事，于是问道：

"雄飞，刚才那人是谁？"

展昭一看已无法隐瞒，只好如实说道："回大人，他是陷空岛卢家庄的五鼠弟兄，叫做锦毛鼠白玉堂。他平日里替天行道除暴安良，乃是绿林中的一条好汉。这次进开封府，只是和我有一些私人恩怨。求相爷不要与他——"

展昭话还没有说完，包大人把脸一沉：

"展昭，他今夜手持凶器，搅闹相府，已经犯下了不赦之罪，你还想庇护他不成？我命你想方设法，也要将白玉堂缉捕归案。"说罢，拂袖而去。

众人一听，不由得你看我、我看你。展昭心想：唉，五弟，你这是何苦呢，真是自找麻烦啊！

次日天明，展昭带着张龙、赵虎、王朝、马汉等人就出府四处寻访白玉堂了。他们转来转去，不知不觉进了相国寺。赵虎眼尖，第一个喊道："瞧，小耗子！"

众人一看，可不是嘛。从大门往左数，第三排石碑前面，站着一人，正是锦毛鼠白玉堂。只见他手拿折扇，悠闲自得，正在观看碑文。

展昭心想：你胆子可够大啊，还不离开京城！他让众人先守在一边，自己走到白玉堂的身后，将一把扇子扔在了地上。

白玉堂昨天晚上回去后，心里十分不痛快，因为他没占到任何便宜。他认为展昭完全是凭着宝剑才胜了自己，于是早上一起来，便直奔兵器铺，先买了一把厚背尖翅雁翎刀。然后，一边在东京溜达，一边琢磨怎么才能赢了展昭。不知不觉来到了相国寺，与展昭他们不期而遇。

白玉堂已经发现了展昭，看到展昭来到了自己身后，也不禁有些紧张，暗暗握住了刀把。

展昭弯下腰去捡那把扇子，一边捡一边说道：

"你怎么这样不识抬举？若要拿你，还用费吹灰之力吗？"说罢，将扇子又扔在了白玉堂身后，然后领着众人，扬长而去。

展昭是好意暗示白玉堂，现在正在抓他，让他赶紧离开东京。可白玉堂心高气傲，听错了意思，心想：好你个展昭，你也太猖狂了，拿我不费吹灰之力？哼，我非要在东京闹个天翻地覆，让你吃不了兜着走。想到这里，白玉堂回了客店。

天到定更，白玉堂换好夜行衣，带好家伙，悄悄离开了客店。这次他没有再去开封府，他直接去了皇宫。他觉得开封府太小，闹起来没有意思，这次他要大闹皇宫。

白玉堂来到了东华门，抬头一看，宫墙有两丈多高。他从百宝囊中掏出飞抓铁索，一抖手腕，"哗啦"扔到墙上，抓住了墙头。接着，双手一使劲，脚蹬墙壁，人就上了墙头。他又抓着铁索，跳到宫内，将铁索收好，定睛向四外观望。

只见这皇宫之内，五步一楼，十步一阁，楼台殿阁，金碧辉煌，真是"富贵不过帝王家"啊！白玉堂是头一次进宫，不认识路啊！他想来想去，到皇上寝宫，怕吓坏了皇上，到娘娘下院，更不像话。一时也拿不定主意，就信步往前走。走着走着，来到了一个花园，里面有好多的树木，而且清香扑鼻。白玉堂心想这没准就是御果园吧。

一点没错，这里正是御果园。里面就是"忠烈祠"，忠烈祠里供奉着宫人寇承御。寇承御是在"狸猫换太子"的宫廷斗争中献身的。因为保护太子，也就是现在的四帝仁宗，所以被四帝追封，供在忠烈祠中。

看守忠烈祠的小太监已经睡着了，白玉堂也没有理他，径直走了进去。祠内挂满了挽联、挽幛，寓意深刻，字迹优美。

白玉堂看罢，诗兴大发，操起笔墨，走到粉壁墙前，稍加思索，提笔写道：

> 宫中女娥皇，历代姓名香。
>
> 顶烛千首户，举念对上苍。
>
> 一魂垂千古，青史字几行。
>
> 第一功勋在，含笑答先皇。

白玉堂算了算日子，明天就是初一，皇上一准来，到时看到我的诗句，一定会找展昭的麻烦。想到此处，得意洋洋地信步走出忠烈祠。走了没多远，白玉堂看到了一个小太监，端着一个酒壶，提着灯笼在前面走。白玉堂一看，心中又生一计。

小太监走到一棵树下的时候，白玉堂"噌"就蹿了上去，拽出钢刀，压住了小太监的脖子，说道："别动!"

小太监差点没被吓死，扭头一看，只见一个小伙子，剑眉倒竖，手持钢刀，正冲自己瞪眼，连忙哀求道："好汉饶命! 好汉饶命!"

白玉堂也不与他废话，从他身上撕下一块布，将他的嘴塞上，又解下他的腰带，将他背着手绑了起来。白玉堂一手提着小太监，一手抱着树干，就上了树。他将小太监放在大树杈上，对他说道：

"要想活命，就不要乱动，掉下去摔死我可不管。"

小太监连忙点头表示明白了。白玉堂又说道：

"你知道我是谁吗? 大丈夫敢作敢为，我就是人称南侠'御猫'的展昭展雄飞。我家住常州府武进县百花岭下遇杰村。你记住了没有。"白玉堂一连说了三遍，才跳下大树。

白玉堂一想，今天晚上也闹腾够了，看你展昭明天还抓不抓我，哼！想到这里，白玉堂"噌噌"出宫回了客店。

第二天天一亮，四帝仁宗带着文武百官就来忠烈祠祭奠寇承御了。上完香后，四帝像往常一样在祠内转了转，这一转，就看到了白玉堂题的那首诗了。他挥手叫值班的小太监过来，问道：

"这诗是谁写的？"

小太监吓得冷汗直冒，哆哆嗦嗦地说道："奴才不……不知道。"

"不知道？"仁宗盯着诗句，仔细看着。只见这几行诗句，意寓深邃，书法喜人，点点如桃，撇撇如刀，有风有骨，仁宗很是喜欢。仁宗是爱才之人，当下命人将墙上的字连墙皮一起揭下，保存起来。

四帝仁宗出了忠烈祠，一边走就在一边琢磨这事。突然，从树上突然掉下来一个东西，差点没有砸到仁宗，把仁宗吓了一大跳。旁边的侍卫赶紧上来，围住那件事物。大家仔细一看，原来是个小太监。有人上去给他松了绑，将他嘴里的布也掏了出来。

小太监连忙跪倒在地，磕头说道：

"皇上饶命。皇上，昨天晚上，我遇到一个强盗，是他把我弄上去的。他还说他家住常州府武进县百花岭下遇杰村，叫做展昭展雄飞。"

当时展昭就站在皇上身后，仁宗一转头，问道："展昭，此事可是你所为吗？"

展昭连忙跪倒，说道："皇上圣明，此事不是我干的，是有人冒名顶替。"

那小太监抬眼一看展昭，也替展昭做证，说道："昨夜那人，要比展老爷更年轻一些，长得五官端正，相貌俊朗，一表人才。"

仁宗一听，不禁龙颜大怒："谁这么大胆，夜闯皇宫，随意题词，还假冒人家名字，戏耍太监，来呀，快给朕查找。"

包大人这时站了出来："万岁容禀。前天晚上，白玉堂曾闯入开封府，和展昭大战了几十回合，并扬言不会善罢甘休。昨夜之事，十之八九是他所为。"

"噢，这白玉堂是什么人？"

"他是江湖上的一个义士，住在陷空岛卢家庄，靠打鱼为生。他们一共弟兄五人，江湖诨号"五鼠弟兄"。大哥钻天鼠卢方，二哥彻地鼠韩彰，三哥穿山鼠徐庆，四哥翻江鼠蒋平，五弟锦毛鼠，就是这白玉堂了。"

"噢，这人学问可不浅，武功又很出众。包爱卿，朕给你一百天的时间，命你将他生擒活捉，到时候，朕要龙楼御审。"

"微臣遵旨！"

白玉堂回到客店，倒头便睡，日上三竿，才起来。刚刚梳洗完，听见外面有人敲门。白玉堂拉开门一看，可把他给乐坏了。

门口站着三人，正是二哥彻地鼠韩彰、三哥穿山鼠徐庆和四哥翻江鼠蒋平。兄弟相见，自然分外高兴，白玉堂赶紧把他们三个让到屋内。

白玉堂负气离开陷空岛后，钻天鼠卢方命三鼠前来寻找。白玉堂住的这个客店叫五虎店，五鼠每次来东京都住在这里。所以三鼠来了之后也直奔这里，果然没错，碰上了白玉堂。

哥儿四个进来屋内，就聊开了。白玉堂就将前两天晚上所干之事和大家讲了。哥仨一听，大惊失色。韩彰一跺脚，说道：

"老五，你折腾的可有点过分了。现在你惹了这么大的祸，还是快快回陷空岛躲一躲吧。"

白玉堂把眼睛一瞪，说道：

"不行，我不斗倒展昭，决不离开东京。你们先回去吧，我一人做事一人当，决不连累你们。"

"那哪儿行啊？大哥命我们来找你，我们怎么能扔下你不管呢？"

"我知道大家对我好。咱们是异姓兄弟，情同骨肉，我栽跟头，你们也不光彩。既然你们来了，不如就帮着我一起斗斗那展昭吧。我们将他斗倒，便一起回家。"

韩彰知道五弟的脾性，因此也不便再劝。他们商量，先陪五弟多待几日，让他出出气，顺顺心。另外，他们几个也想见识一下展昭的能耐。所以，这三人也没有回去。这两天，风声挺紧，无论昼夜，都有人盘查。因此，他们有时就待在店内，有时偷偷上街溜达，寻找时机。

开封府内。

包大人领命回到开封府，将各位勇士召到堂前，传下命令，要广派人手，捉拿白玉堂，只要活的，不要死的。大家领命各自行动起来。

展昭十分着急。不过，他转念一想，白玉堂捅下这么大的娄子，肯定已经逃之夭夭。现在，我就来个虚张声势掩人耳目得了。到了百日期满，我情愿抗旨受罚。想到这里，展昭假装认真，带领开封府和祥符县的捕快、五军督提府的巡捕，总共一百多人，乔装打扮，四处巡查。

一晃过了五天，仍是没有半点线索。这天，展昭正带着人在城外巡查，突然看见前方来了一人。此人骑一匹快马，时候不大，已经来到了展昭面前。展昭定睛一看，原来来人正是卢方，连忙喊道："卢大哥！"

卢方听到有人喊他，停住马，就往展昭这边看。可看了半天，也没有认出展昭来，因为展昭已经化了装，不是官差打扮。展昭连忙上前，冲卢方一抱拳，说道：

"卢大哥，小弟雄飞这厢有礼了。"

这时卢方才认出展昭来，连忙翻身下马，抱拳还礼。展昭问道：

"多日不见，卢大哥可好？"

"好。展老爷可好？"

"我倒是没有什么，只是……只是最近东京出了点事，因此包大人让我们严加巡查。所以我才化装执行。"

"出了事？是不是和我那五弟有关？"

"大哥，您真是神人啊！此事正与五弟有关。"

· 89 ·

"展老爷，实不相瞒。我此次来东京，就是为了寻他而来。"白玉堂到了东京，一直没有回庄。卢方命三鼠来寻，三鼠也一去不返，卢方和夫人十分着急。卢方生怕他们在东京惹是生非，每日都坐立不安。后来实在等不及了，将陷空岛诸事安排了一下，便赶奔东京。没想到在城外遇到了展昭。

"大哥，此地非说话之所，咱们回府里再详谈。"展昭领着卢方，一起回了开封府。

包大人见了卢方，也十分客气，当下设宴款待。席间，包大人问起了白玉堂的事，卢方不敢有所隐瞒，照实说了：

"我五弟白玉堂，自幼受过高人传授，名人指点，能文能武，是个全才。正因如此，他便目空一切，骄傲过人。本来展老爷被皇上封为御猫，是咱们绿林的一件好事，他却耿耿于怀，非要与展老爷分个高下。我苦苦相劝，也无济于事。他竟然背着我离开了陷空岛。我放心不下，派了二弟、三弟、四弟前来找他。可是直到今日，他们也未回去。我更加不放心，所以亲自来了，只希望能找到他们几个，不要闹出什么事来。"

"老义士，你五弟可闯下大祸了。他夜入开封府，打伤赵虎，激斗展昭，又夜闯皇宫，题写诗词，戏弄太监。皇上已经传下旨意，限定日期，要捉他归案。"

卢方一听，脑子一下就"嗡"的一声，懵了。他赶紧跪倒给白玉堂求情。

包大人连忙将他扶起，说道：

"老义士，快快请起。白玉堂犯罪不假，但看皇上的意思，并不想杀他。万岁一向爱惜人才，见他诗句不凡，文武双全，怎忍心加害于他？我看皇上是想加封他官职，让他为朝廷效力。老义士，你若能将他找来，本阁担保他性命无虞。"

展昭也说道："大哥，这可是千载难逢的好机会啊。他若再一意孤行，那就可真不好收拾了。"

卢方听罢，一再称谢，说道："相爷。小人知道他的下落，我立刻去将他找来。"

包大人一听，十分高兴，并嘱咐让卢方将其他几个兄弟一起找来，晋见皇上。卢方领命，将饭吃完，便告别众人，离开了开封府。

卢方出了开封府，直奔五虎店。他知道，其他四鼠一准儿在那里。

卢方来到五虎店，问店东："我那四个兄弟可是住在这里？"

"来好几天了。里面请吧！"店东把卢方领到后院，用手一

指，"就在那间屋内。"

卢方推开门进了屋，只见屋内冷冷清清，只有一人在独自喝酒。此人是白玉堂的家人白福。白福见卢方来了，急忙放下酒杯，上前施礼。卢方没理他，气呼呼地往椅子上一坐，问道："那几个员外呢？"

"出去了。"

"到哪里去了？"

"不知道。他们说一会儿就回来，您就等会吧。"

卢方一听，那就先等会吧。左等也不来，右等也不来，等了足有一个时辰，还没见四鼠踪影，卢方有点急了，问道：

"白福，他们到底上哪儿去了？"

"不知道啊，他们说一会儿就回来的，怎么还不回来呀！"

卢方发现白福神色不对，一把抓住他的前胸，问道："白福，你还敢骗我？说，他们到底上哪儿去了？"

"大员外爷饶命。刚才五员外爷说过，不让我对外人说实话，我要说了，他就要我的命。"

"快说，他们在哪里？"

"近来，开封府盘查甚严，他们不敢在此久留，就搬到太师府后院的文光楼上了。"

卢方听罢，扭头就走，直奔太师府。

那文光楼是太师庞吉不惜重金，建在后院的一座春楼。楼高七层，他的两个妾住在上面。有一次庞吉酒后失手，将两个妾给误杀了。从那以后，这座楼就关了，再也没有人住过。太师府自然不会有人盘查，文光楼又没人住，所以四鼠才搬到了文光楼上。

卢方一年四季常来京城，对京城地形很熟，很快就来到了太师府后墙外。他见左右无人，飞身形越墙而过，直奔文光楼。他来到文光楼下，隐约看见顶楼有灯光，一个"旱地拔葱"就上了二楼，随后施展狸猫蹬树的本领，"嗖嗖嗖"，就上了七楼，来到了窗外。

卢方四下里一扫视，见无动静，低声问道："里面有人吗？"

过了一会儿，屋内有人回答："谁呀？"

"我！"

"哗啦"一声，窗口开放。卢方一弯腰，就进了屋里。

卢方进屋一看，正是五弟白玉堂，正坐在椅子上吃喝呢！白玉堂满面陪笑，说道：

"大哥，你什么时候来的啊？小弟给大哥磕头了。"说罢，跪倒就拜。

"起来吧。他们哥仨到哪里去了？"

"啊——他们仨吃多了，有点泻肚，就结伴去了。"

"五弟，你闹腾得可够欢啊！"

"大哥，我闹腾什么了？"

"五弟，我这次来东京，仅仅一天工夫，就把你的所作所为都摸清了。五弟，我已去过开封府，也见到了展老爷和包大人。包大人已经说了，只要你能到开封府投案，他便带你上殿，求万岁封你为官。这可是千载难逢的机会啊！你若固执己见，一意孤行，那就不好收拾了！走，你现在就和我回开封府吧。"

"大哥，听您一番话，我心中明朗多了。早知今日，何必当初呢！"

"既然明白了，那就跟我走吧，现在也为时不晚。"

"等一等，等我那三位哥哥回来，咱们一起去。"

"也好，哎，怎么还不见他们回来呢？"

"不要着急，就快了。"说罢，白玉堂端过茶杯，让卢方喝茶。

两人就坐在这儿等，等了好长时间，一直等到三更天了。卢方又问，白玉堂突然大笑一声，说道：

"大哥，我现在跟您说实话吧！"

"何事？"

"您上楼之时，我那三个哥哥刚走。"

"他们干什么去了？"

"杀人去了！他们去了开封府，现在啊，恐怕一百条人命都过去了。没准儿，包黑子的脑袋也已砍下了。"

卢方闻听，大惊失色，差点没背过气去。他也顾不上指责白玉堂了，急忙下了文光楼，奔开封府而去。

# 第十章 大闹开封

　　一连憋了几天，彻地鼠韩彰、穿山鼠徐庆和翻江鼠蒋平都憋不住了，要出去闹腾一下。他们和白玉堂一商量，决定今晚大闹开封府，斗斗展雄飞。哥仨收拾了东西，就飞身下楼，奔了开封府了。他们刚走，卢方就来了，就差一步，没赶上。

　　三人仗着白玉堂的指点，爬上了西厢房，来到了校尉所，冲屋里一看，只见屋内灯火通明，桌上摆着酒菜，桌旁围坐着展昭、张龙、赵虎等诸位勇士。大家正在说说笑笑，开怀畅饮。

　　蒋平看罢，眼珠子一转，对徐庆说道："三哥，下去！"

　　"下去干什么？"

　　"咱们干什么来的？不就是来斗猫的吗？下去，跟他动手。"

　　徐庆点头答应，把刀一晃，"嗖"跳到当院，高声喊道："呔！开封府的人听着，你家三爷爷来了，哇呀呀！"

　　展昭他们正等着卢方呢，突听外面有人喊叫，知道事情有变，立刻吹灭灯火，隐蔽起来。展昭隔着窗户，问道："院内是哪位？"

"小子，你出来便知道了！"

展昭拽出宝剑，来到院中。只见眼前这位跟半截黑塔一般，站在那里。便问："阁下是哪一位？"

"我祖籍山西太原府祁县徐家庄，现在定居陷空岛卢家庄。弟兄五人，人称五鼠，我排行老三，叫穿山鼠徐庆。"

展昭一听，喜出望外。忙将宝剑交到左手，躬身施礼："哎呀，原来是三哥来了。三哥，你一向可好？小弟展昭这厢有礼了。"

徐庆一见展昭给自己施礼，愣住了。

展昭又开口说道："卢大哥已经找你们去了，没见着啊？此地不是讲话的地方，请到屋里一叙。"

· 95 ·

徐庆是个实心眼，一看这情况，心里犯嘀咕：展昭这人挺好啊！这仗还怎么打。他二话没说，"嗖"蹿到房上，对蒋平说道：

"老四，就你多嘴多舌，你看展昭这人多好啊。张嘴三哥，闭嘴三哥，这仗能打起来吗？"

蒋平一听，这个气啊，说道：

"三哥你呀，真是个饭桶。他叫你三哥你就不跟人家打了，他要叫你三爷爷你还不得跪倒在地？我问你，是他亲，还是咱老五亲？快，打去！给我狠狠地打！"

徐庆一听，说得有理。转身又跳到了当院，高声暴叫道：

"展雄飞，别说你叫我三哥，你就是叫我三爷爷也不行！今天，我是来替我家小五讨个说法的，这仗是打定了。你看家伙吧！"说罢，蹦起来就是一刀。

展昭将刀闪过，说道：

"三哥，咱们远日无怨，近日无仇，何苦与我为敌呢？三哥，望你手下留情。"

徐庆才不管这些呢，"刷刷刷"，一刀快似一刀。展昭无奈，只好和他战在一处。两人战了十几个回合，展昭一剑将徐庆的刀头砍了下来。徐庆一看，冲着墙上喊道：

"还不快下来帮我！"

蒋平和韩彰也跳了下来，各自操家伙，和展昭战在了一起。三鼠一猫，打得好不热闹。

张龙、赵虎、王朝、马汉等人早已各操兵刃，站在周围。他们看到三鼠群攻展昭，不由得火冒三丈，"呼啦"往上一围，就要动手。展昭偷眼一看，吓了一跳，忙道："他们是我的朋友，大家谁也不要插手。"

展昭知道这三鼠都不是一般人，各自身怀绝技，自己凭着武艺，可以巧妙周旋，若大家一起上，反而添乱，容易受伤。

众人一听，都不敢轻举妄动，只好点起火把拿着刀剑，在旁边观阵。

包大人也得到了消息，来到了现场。看见展昭正在和三鼠缠斗，包大人勃然大怒，喝道："展昭，把这几个狂徒抓住，千万别让他们给跑了。"说罢，转身回去了。

展昭一听，心说不好，这下私事成公事了，当下只好尽全力会斗三鼠。

三鼠和展昭打了一百多个回合，心里也暗暗称赞，怪不得老五栽跟头呢，姓展的果然厉害。看来，这"猫"确实是比"耗子"厉害。

他们正在打着呢，卢方回来了。一进院子，卢方就大声喝道："三位兄弟，还不给我快快住手！"

卢方一说话，三鼠没人敢不听，都停了下来。徐庆一看大哥来了，立刻把那半截刀扔在了地上。蒋平是个机灵人，一听大哥话中带气，把双刺也扔在了地上。只有韩璋还拿着刀站在那里。

韩璋为人直爽，但是固执己见，不会转弯。心里想，不打吧，对不起老五；打吧，又不敢不听大哥的话，实在是左右为难。得，我先走吧，见着老五，再作打算。想到这里，韩璋一转身，蹿上了房。

展昭原想将他留下，一看他要走，连忙追过去喊道："二哥，请你留步！"

韩璋不知道展昭的意思，心中暗想：姓展的，你怎么得寸进尺赶尽杀绝呢！哼，你当我怕你不成。想到这里，从百宝囊中摸出一只毒镖来，转身就向展昭面门打去。

· 97 ·

展昭正追着呢，突见前面一道白光直奔面门而来，急忙向后一仰身，躲了过去。没想到，后面还追过来一个赵虎，这镖正好扎在了赵虎的大腿上。赵虎"哎哟"一声，摔倒在地。

韩璋已经跳到了墙外，只听见"哎哟"一声，知道是打中了，至于是谁，也顾不上看了，直奔文光楼而去。

开封府里的众位英雄七手八脚地将赵虎抬进了屋，拔镖、上药、包扎，一通忙乎。

卢方来到二鼠面前，不容分说，一人给了两个嘴巴，又指着他们的鼻子大骂了一通，然后用两条铁链，将他们锁上，在南侠的陪同下，一起去见包大人。

卢方带着弟兄来到书房门口，自己抢先进去磕头赔罪。包大人将他扶起。卢方又把徐庆和蒋平叫了进来。两人一进屋也是磕头赔罪，包大人将他二人搀起，在灯下仔细打量二人。只见一个长得魁梧高大，一个长得短小精干，越看越是喜欢。包大人立刻吩咐设宴，为二鼠压惊。

正在这时，突然有人送信过来，说赵虎昏迷不醒，眼看性命不保了。包大人一听，立时变了脸色，带着众人赶奔校尉所。到了校尉所内，只见赵虎躺在床上，二目紧闭，嘴角直流白沫，一条腿已经肿得发青。大夫告诉包大人，已经束手无策了。

蒋平这时说道："刚才一时忙乱，忘记说了。我二哥打的镖是毒镖，除了他的独门解药，无药可治。"

大家一听，更急了。蒋平一摆手，又说道："我二哥的解药随身带着，大家不要急，我现在就去取。只要药到，这伤立刻就好了。"

卢方这时说道："老四，不要把问题想得过于简单，老二的解药可不是那么容易要的。"

"大哥，这个你放心，我自有办法。我不仅能将解药要到，还能让二哥和五弟互相猜疑，把他们离间开。到时候，老五自然就乖乖地降了。不过，还需要你帮一个忙，写一封信。"

卢方不知道蒋平葫芦里卖什么药，但他知道自己这个四弟足智多谋，当下按照蒋平的要求，提笔写了一封信。蒋平装好信，告别大家，直奔文光楼而去。

韩彰一镖打出，头也不回，一口气奔到了文光楼上。他见了白玉堂就把事情经过说了一遍。白玉堂听罢，冷笑一声：

"哼！二哥，看出来没有？到了紧要关头，谁是什么人就显出来了吧。二哥，他们都官迷心窍，投靠了开封府，你打算怎么办？"

"唉，我也是进退两难，不知道该怎么办啊！"

"你有什么为难的？你也去那开封府吧，要个官当当，我决无怨言。反正我是要和展昭干到底的！"

两人正说着话呢，蒋平进来了。韩彰一见，连忙迎了上去：
"老四，你怎么回来了？他们几个呢？"

"我不回来行吗？二哥，我可真服了你了！你真厉害！你还
问他们几个？自己干的事自己还不知道吗？"

"老四，你这是何意？"

"哼，我早就看出来了，你和三哥不和，你们俩同床异梦。
你是他的哥，纵然他有什么不敬的地方，你也应该让着点他，
可你竟然对他下了毒手！你可够狠的啊你！"

韩彰越听越糊涂："此话怎讲？"

"你还装糊涂？你一镖打在他华盖穴上，三哥现在已经快不
行了。"

"什么？我把三哥打了？"韩彰一听，急得直跺脚。蒋平往
床上一坐，两手抱着后脑勺，小腿直晃悠，一个劲儿的冷嘲热
讽韩彰。韩彰可真急了，连忙把解药掏了出来，请蒋平送过去。
蒋平还一再推脱，说道：

"这是你们俩之间的事，我不管。要送，你自己送去。"

韩彰可更急了，本来就不会说话，给蒋平这么一激，大脸
憋得通红，求道：

"老四，我求求你了！我本来是要打展昭的，没想到误伤了
三弟。老四，你快帮帮忙吧，二哥我求求你了。"

蒋平一看差不多了，这才说道："唉，我这个人就是好管闲
事，刀子嘴豆腐心啊！得，看在兄弟情份上，我就替你跑这一
趟吧。"说着，接过解药，将解药装到了怀里，开门走了出去。

蒋平刚走，白玉堂说话了："二哥，你上当了。"

"什么？"韩彰一听，愣了。

白玉堂接着说道:"四哥是个什么人,你还不知道吗?就数他最精。我问你,我三哥中镖,你可看到?"

韩彰摇摇头,白玉堂说道:"你那镖说不定打着谁了,他要替别人要解药,你肯定不会给,他就编这么一套瞎话,你不但交出了解药,还好言相求,你说他有多坏吧!"

韩彰听了将信将疑,正合计此事呢,"啪"一声屋门开了,蒋平进来了:"哎,你们这是说谁呢?"

白玉堂一看,哑口无言。蒋平指着他们俩说道:"我就知道你们俩不怎么样,既然你们怀疑我,我就把解药还给你们。这事啊,我不管了!"说完,把解药包往桌子上一扔,扬长而去。

韩彰一看,又急了,就要叫蒋平留步。蒋平已经走了,韩彰就把火发到白玉堂身上,怪白玉堂随便怀疑人。白玉堂自己也纳闷呢:难倒真的看错蒋平了吗?他仔细一看桌子上的药包,说道:"二哥,不对啊!那不是解药啊!"

韩彰过来打开一看,原来里面包了块狗屎。可把韩彰给气坏了,拿起药包,将屎抖落。屎抖掉了,韩彰发现药包上还有字。原来,这就是蒋平要卢方写的那封信。韩彰拿到灯下,定睛观看,只见上面写道:

"二弟韩彰,见字悉知。现在,我们已投靠了开封府。万岁有旨,封我们当官——其中自然有你。见字之后,望你速速捉拿白玉堂,用他的性命,来换取咱们的高官。此事须你果断从事,万不可犹豫。卢方字。"

韩彰刚刚看完,一转头,看见白玉堂也在身后,知道坏事了,忙将信放到口袋里。白玉堂却哈哈大笑道:

"二哥,你也不用藏了,我全看见了。看来,咱们五鼠缘分已尽,你把小弟我捆上吧,到开封府去换官吧!"说罢,把双手一背，站在韩彰面前。

韩彰一看，眼泪下来了：

"五弟，哥哥是那种人吗？你不要再让我为难了。帮你吧，对不住大哥他们；听大哥他们的吧，我也对你不起。干脆，我谁也不帮，我走了。从今以后，江湖上就没有我彻地鼠韩彰了，陷空岛卢家庄我也不会再回了。兄弟，你保重吧！"说完，韩彰将东西收拾了一下，走了。

白玉堂知道拦也拦不住了，看着韩彰的背影消失在夜色中，白玉堂钢牙紧咬，心里说：矬子，大哥，三哥，从今天起，咱们兄弟就再也不是兄弟了，你们走你们的阳关道，我走我的独木桥。只要我白玉堂不死，我定要把东京闹个天翻地覆！

蒋平得到了解药，立刻回到了开封府，给赵虎用了药。很快就见效了，赵虎吐了些黄绿水沫，渐渐清醒过来。众人一看，心才放了下来。过了几日，赵虎便康复如初了。

包大人见赵虎已经痊愈，心中合计，皇上限期捕白玉堂归案，现在虽然没有见到白玉堂的踪影，但收了三鼠，也算有些眉目。一日早朝，包大人将此事奏知了四帝仁宗。仁宗一听，十分高兴，立刻传卢方、徐庆、蒋平上殿面圣。

这三人听了，急忙更换衣裳，在展昭的带领下，来到了金銮殿。三人依次向皇上报了姓名，皇上问道："听说你们都是武林高手，朕想看看你们的能耐。"

三人就等这时候了，一听皇上要他们献艺，自然不敢怠慢，纷纷使出了看家本领。

钻天鼠卢方原来是个船夫。那时候，出海的船上都有桅杆，桅杆能有十几丈高。桅杆高端，白天挂彩旗，晚上挂灯笼。这个活就是交给卢方的。日久天长，卢方就练成一手爬杆的绝技，因此也得了一个"钻天鼠"的绰号。皇宫里自然没有桅杆，卢方四处看看，看见大殿前有一对旗杆，足有二十多尺。他周身上下收拾利索，找了面黄旗，"噌噌噌噌"向上爬去，眨眼之间，便爬到了杆顶，将黄旗挂好。然后，双腿抱住旗杆，头朝下，双手放开，"倏——"就滑了下来。眼看脑袋就要碰地，只见卢方一个翻身，就跳下了旗杆，稳稳地站在了地上。

仁宗看罢，拍案叫绝："不愧是钻天鼠啊！"

穿山鼠徐庆从小在矿井里长大，会看地脉，并且会辨别方向，从不迷路，因此得名"穿山鼠"。不过今天在皇宫之内，就找不到矿井了，所以徐庆就练了练拳脚，舞了一套刀。皇上也看不懂，看徐庆耍得起劲，就一个劲儿喊好。群臣见皇上喊好，也都跟着喊好，徐庆就在一片叫好声中展示完了自己的武艺。

最后上场的翻江鼠蒋平。蒋平的绝技是在水中，他把衣服脱去，一个猛子，就扎进了福海。

福海是在皇宫中的一个大湖，是皇上命人开挖的。蒋平跳进湖中，让大家往里面扔东西，甭管多小的东西，甭管扔在什么地方，他都能给你找回来。这一手也是震惊四座，皇上和群臣不停地叫好。

看了三鼠的表演，皇上龙颜大悦，当场加封三鼠为六品带刀校尉，在开封府效力当差。

三鼠听罢，磕头谢恩。

三鼠回到开封府，帽插官花，十字披红，骑高头大马，在卫队的簇拥下，上街夸官。开封府内也是广摆酒宴，大家兴高采烈，直到晚上，还不罢盏。

大家都高兴，可有一人不高兴。谁啊？白玉堂。三鼠当官他躲在暗处都看到了，差点没把肚子气破。现在文光楼也不能待了，五虎店更回不去了。白玉堂心里琢磨：如今，二哥也走了，只剩下自己一个人了，势单力薄啊！在东京继续与展昭斗下去的话，看来是讨不到什么便宜了。不如将他引到陷空岛卢家庄，到了那里，就是我的天下了，看他还能猖狂？不过，用什么办法将他引过去呢？白玉堂想来想去，想出一个办法：到开封府盗三宝。

开封府内，有三件镇府之宝——古今盘、照妖镜和游仙枕。这三件宝物价值连城，都是无价之宝。白玉堂打定主意，就来到了开封府内。他已经不是第一次来开封府了，但是这三件宝贝放在了哪里，他却不知。白玉堂先来到一间无人的房间中，找到笔墨纸砚，刷刷刷写了个纸条，装在了兜里。接着，又来到了包大人的屋外，冷不丁一敲窗口，高声喊道：

"不好了，开封府有贼了！三宝被偷了！"

# 第十一章 勇闯鼠穴

大半夜的，这一嗓子传出老远。李才、包兴首先赶到了包大人这里，包大人也醒了，连忙吩咐他们去看看三宝。二人领命，拿好钥匙，提着灯笼，直奔了库房。包大人又传下口令，将各位英雄请进寝房。众人来了之后，蒋平首先问道："大人，出了什么事了？"

包大人说道："刚才有人喊叫，说咱三宝丢了。"

"喊话人是谁？"

"这——我不清楚。"

"你听到之后，干了些什么？"

"我让李才、包兴去看宝了。"

"完了，不看还好，一看就完了，准丢。相爷，这是江湖上绿林人常用的招数，叫'抛砖引玉'。"

"抛砖引玉？"

"是的。比如说，他想偷这些东西，可他又不知道放在何处，这才故弄玄虚，若派人去看，就等于把地点告诉了人家。"

大伙正议论着呢，李才、包兴回来禀告，说三宝还在。蒋平一听，连忙带着大家前往库房。到了库房，大家一看，果然，三宝没了。柜子上钉着把匕首，匕首上插着张纸条，上面写着：

罪民盗去三件宝，暂且回归陷空岛。

御猫到了卢家庄，管保展昭跑不了。

另外，上面还写着：

不辞路劳，寄柬留刀。

题诗杀命，黄金巧盗。

暂借三宝，百日送到。

要拿罪民，委派御猫。

显而易见，这是白玉堂所为。包大人看完留言，已是冲冲大怒，众人也都忿忿不已。其中，展昭最是生气，脸色发青，呼呼直喘粗气，心想：白玉堂啊白玉堂，我对你可谓仁至义尽，你却得寸进尺，越闹越不象话了。

蒋平看在眼里，连忙劝道：

"展老爷，您消消气。我们老五不懂事，他栽了跟头，所以才来偷三宝找回点面子。您宰相肚里能撑船，不要和他一般见识。他留这条，使的是激将法，您千万不要上他的当。您若一气之下去了陷空岛，他会利用熟悉的地形和岛上的消息埋伏取胜于您。所以您可千万不要上当啊！"

展昭不服气，问道："那陷空岛上，有何埋伏？"

蒋平说道："展老爷您有所不知。我们老五，自幼就爱琢磨如何设置陷阱。如今，在陷空岛上，遍地都布满了钻天刀、立天弩、自行车、自行人、翻板、转板、连环板、各种陷坑。一个不留神，就会中了埋伏。"

众人也纷纷劝展昭，不要意气用事，劝了半天，大家才散去。

展昭回到房中，越想越不是滋味，越想心里越气，一夜都没有睡。天快亮的时候，展昭再也坐不住了，留了张纸条，便离开了开封府。

次日，大家起来后，发现展昭已经不见了。蒋平知道坏事了，展昭一准儿是去了陷空岛。

展昭日夜兼程，赶到了松江府花亭县。他站在江边往水中张望，隐隐约约能看见远处有一座孤岛，屹立在水中间。展昭心中暗想，陷空岛在水中央，我怎么才能进去呢？

正想着呢，来了一只小船。船家十分客气，见面就喊展昭的名字，让展昭上船。展昭十分诧异，但想想白玉堂肯定也早有准备，不如虎穴，焉得虎子？反正来就是要找他的，既然他开门欢迎，我还客气什么。展昭打定主意，上了船。

小船在江中划了一个时辰，才来到陷空岛边。展昭谢过船家，上了岸，顺着盘山道，往前走去。他一边走，一边观看。陷空岛上的人都是靠打鱼为生，所以渔船、渔网、渔杆遍地都是。陷空岛的面积不小，岛上住了上千户人家，展昭走了挺长时间，终于走到了卢家庄的寨门前。只见大门上端的横匾上写着"卢家庄"三个大字，寨门与角门都关得紧紧的。

　　展昭上去砸门，过了很长时间，才有人把门打开。展昭禀明来意，那人也不多问，带着展昭就进了寨子。

　　展昭走进角门，抬眼观看，只见院落整齐，房屋别致，但奇怪的是一个人都没有。开门那人带着展昭进了大门旁的一个小屋内。小屋内有一张木床，上面有铺盖。地上一张八仙桌，一边一把小凳，看样子，是守门人待的地方。

　　开门那人点上了一个灯笼，说道："展老爷，请你先将灯笼提上。"

　　展昭不解其意，接过灯笼。那人伸手掀开地板，挪开八仙桌，露出了一个黑乎乎的洞口。那人指着洞口说道："展老爷，跟我来吧！"说罢，接过灯笼，顺着洞内的木梯，走了下去。

　　展昭心中直犯嘀咕：不下吧，又不知道如何找到白玉堂；下去吧，又觉得凶多吉少。想来想去，都到了这里了，下去就下去吧。于是跟着那人就下了地道。

　　那人在前面提着灯笼走，展昭跟在后面。走了一段路，那人突然加快了脚步，三绕两绕，踪迹不见。

　　这一下，展昭可着急了。没有了灯笼，眼前一摸黑，蒋平又说过岛上机关重重，万一着了道，不要说拿回三宝，连白玉堂的面都见不着就把命送了，那可就亏大了。但是事已至此，展昭也没有别的办法，只好伸出双手，摸着墙往前走。也不知走了多长时间，突然远处出现了个亮点。展昭心头一顿，急忙走了上去。到了跟前一看，原来是个梯子。展昭急忙顺着梯子爬了出去，出去才发现，又回到了进来时的那间屋子。

　　这时展昭心里明白了，白玉堂是在戏耍自己。白玉堂啊，白玉堂，你也太过分了，不管怎样，今天我也要把你找着。想到这里，展昭出了屋子，顺着胡同往里头走。这次展昭格外小心，每走一步，都小心翼翼。约摸走出半里多地，抬头一看，前面有座院子，进院一看，有一长溜房子。这些房子非常奇怪，没有窗口，而且只有一个门。展昭走进房子，看见里面坐着一个人，背影非常像白玉堂，不由得高兴起来，心里说：总算把你给找到了。展昭一边往前走，一边笑着说道：

"五弟近来可好，为兄找你来了。"

白玉堂连头都没回，起身就往里面走。展昭一看，知道白玉堂是在生自己的气，不愿见自己。他哈哈一笑，说道：

"五弟，哥哥给你来赔不是了。"说罢，又追进了下一间屋里。可是展昭追到哪里，白玉堂就又朝里面走去。就这样，二人一直走到了最里面的房间。

展昭已经十分生气了，他看见白玉堂已经走到了最后一面墙壁前，正在那面壁而立，便走上前去，伸手去拽白玉堂的肩膀。谁知一拽过来，把展昭吓了一大跳。这个白玉堂脸上木呆呆的，原来是个木头人，只是衣着打扮都和白玉堂没有两样。

展昭一看，知道不好，肯定是中埋伏了，转头就往外走。可是刚刚他拽动木人，已经触犯了消息。只听"喀嘣"一声巨响，地板全都翻了起来，展昭"哗"就掉了下去。

展昭知道不好，立刻双手抱头，把眼一闭，双腿紧贴前胸，抱成一个元宝形，落了下去。眨眼间，展昭落在了一张大网内，被紧紧网住，动弹不得。

网上系着无数的铃铛，展昭一落网里，铃铛就"叮零零"响成了一片。铃铛一响，从黑暗中就冲出好多人来。他们提着灯笼，举着火把，拿着刀枪棍棒，把展昭团团围住。有人一按消息，将网放下，"刷刷刷"，十几把钢刀就架在了展昭的脖子上。人们上来，将展昭的兵器和随身物件都给缴了，又把展昭五花大绑起来。

为首的那个头目，指着展昭，说道：

"好小子，你胆子可够大的。这两天，我们庄里老丢东西，原来都是给你偷去了。"

展昭一听，可气坏了，连忙说道：

"朋友，你误会了，我不是贼。"

"你不是贼？那你是谁？"

"我是开封府的官，御猫展昭展雄飞。"

展昭话音刚落，那个头目"啪啪"就给了展昭两个嘴巴子。展昭一愣，问道："你为什么打人？"

"呸！你小子说大话也不怕把舌头给闪了？就你这模样，还是展昭？人家展昭武艺超群，名震武林。你也不撒泡尿照照自己那副德行！再说了，我们是耗子，人家是猫，都是耗子见了猫就跑，哪有耗子把猫给逮住的？"

好家伙，这伙人使劲地讽刺挖苦展昭。展昭知道他们故意刁难，但也没有办法。这帮人折腾完了，带着展昭去见白玉堂了。

这帮人带着展昭，在黑夜里走了很长时间，来到一座小山前。那个头目走到山前伸手一摸，眼前的这块大石"嘎吱嘎吱"移开了。原来，里面是掏空的，是一间石室。展昭正在纳闷：白玉堂怎么会住在这里？后面有人伸手一推，将展昭推进了石室。接着，"喀嚓"一声，将门关闭。

展昭被推到洞内，定睛一看，伸手不见五指。他双臂一使劲，将绑绳给挣断了。接着，伸出双手，沿着墙壁，就摸索起来。摸了半天，展昭大概明白了。这个石室面积不小，四周都是石头，根本就没有出口。石室的顶端有一个小洞，隐约透着点光进来。

展昭没有办法，急得来回乱转。正急着呢，听见有人说话："展老爷！"

展昭一回头，看见石壁上开了个小窗，高有半尺，宽有四寸，小窗外站着个人，就是刚才打自己嘴巴的那个头目。

那人继续说道：

"展老爷，我叫白福。刚才，我拿着您的宝剑，面见了五员外，把事情说了一遍。五员外看了宝剑，说是您的宝剑，我才知道原来是您啊！刚才多有得罪，请您宽恕。"

"白福，事情已经过去。还提它做甚？你现在带我去见你家五爷吧！"

"这可不行。我家员外本来想亲自来接您，但现在他正与一位朋友攀谈，不便脱身。所以，让我先给您捎个话，让您稍等一会，另外命小人给您送点水来。"说罢，从窗口里把水递了进来。

展昭也确实口渴了，接过水就喝开了。过了一会，白福又送来酒菜，展昭一一接过，吃饱喝足后，问道："现在你家员外该有时间了吧？"

"回展老爷，我家员外还在接客，不便前来。我家员外说了，让您先睡一会儿，休息休息。"

展昭一听，知道这都是白玉堂有意安排的，想刁难自己。可现在自己身处石室，无计可施。展昭越想越窝火，实在忍无可忍了，将杯盘碗盏打了个稀里哗啦。可白福装作没看见，也不搭理他，只是定时送水送食。

展昭就这么给软禁起来了。

展昭上了陷空岛，还有人也看到了。谁啊？茉花村的人。当时展昭和丁月华定亲的时候，茉花村的渔民有不少都见过展昭，而且都对这位英俊潇洒武艺高强的姑爷印象很深。展昭坐了一个多时辰的船，有些茉花村的渔民正在打鱼，就看到了展昭直奔陷空岛而去。有些渔民就纳闷，怎么姑爷来了松江府，不先来我们茉花村，反而先去了陷空岛呢？于是就回去禀报给了丁兆惠、丁兆兰兄弟。

丁氏兄弟一听，觉得此事颇为蹊跷，再想想前段时间卢方曾经说过，锦毛鼠白玉堂因为展昭御赐的外号而忿忿不平，一定要找展昭的麻烦，觉得展昭此次上陷空岛一定是凶多吉少。丁兆惠当时就一拍桌子，准备带着家丁，攻打陷空岛。

丁兆兰办事沉稳，说道：

"二弟，不可鲁莽。以为兄之见，你先以拜访为名，上岛去看看，顺便再劝劝白老五。如果他一意孤行不听劝告，你就在岛上发信号。到时，我再带队攻打卢家庄。"

·111·

哥俩商量妥当，丁兆兰带领人马，准备船只，在芦花荡以南埋伏，就等信号动手了。丁兆惠带着八名水手，乘着小船，直奔陷空岛而去。

白玉堂这里确实来了客人。此人名叫柳青，是陕西凤翔府五柳沟人氏，绰号"白面判官"。柳青刀法出众，擅长暗器，也是江湖上数得着的人物，是白玉堂的莫逆之交，每年都要来看望白玉堂。正巧，这次来赶上了展昭之事。

柳青为人不错，他见白玉堂这么折腾，也有些担心，于是劝白玉堂：

"五弟，你盗来三宝，又把展昭困在岛上，这罪可不小，如果开封府发兵攻打陷空岛，你怎么办？"

"反正我白某已经豁出去了，不是鱼死，就是网破，我誓与他们血战到底！"

柳青一看，劝也劝不住了，毕竟是好兄弟，到时也不能见死不救，于是说道：

"好吧！一旦出事，我定拔刀相助！"

两人正聊着呢，有人进来禀报："员外爷，茉花村的二当家丁兆惠前来拜访。"

白玉堂一听，仰天大笑："我早就知道，姑爷出了事，他们丁氏兄弟岂能坐视不管？反正迟早都是要来的，现在来得正好，我来会会这丁兆惠！"说罢，让家丁将丁兆惠带进来。

丁兆惠进了前厅，主客双方相互施礼，一阵寒暄过后，丁兆惠准备把话题往展昭身上引了。他看见白玉堂挎着一把宝剑，定睛一看，这不是我妹子送给展昭的湛芦宝剑吗？看来展昭一定是出事了。丁兆惠眼珠一转，说道：

"五弟，你什么时候换用宝剑了？不使刀了？"

白玉堂一笑："嗯，换的日子不长。"

"可否借为兄一瞧，也让为兄长长见识。"

白玉堂不便说不行，把宝剑解下，递给了丁兆惠。丁兆惠接过宝剑，一边看着，一边说道：

"好剑，好剑啊！五弟，你是花钱买的，还是祖上传下来的？"

白玉堂一听，这不是给我难堪嘛？但白玉堂从来都是敢作敢为的，也不撒谎，说道：

"这把剑既不是买的，也不是祖上传的，是我从展昭手里得来的。"

"噢！你是如何从他手里得来的呢？"

"二哥，你有所不知。那姓展的不够朋友，他投靠了官府，当上了四品带刀护卫，就连自己姓什么叫什么都忘了，起了个绰号叫御猫，分明是和我们五鼠兄弟过不去嘛！因此，我搅闹开封府，盗来了三宝，将展昭引到了我这陷空岛卢家庄。"

"那他现在何处？"

"已经被我——"

"被你怎样？"

"我本想结果他的性命，后来想想，还是先把他关起来了，让他先受受罪再说。"

"五弟，你这事可做得有些不妥。他不管怎么说，是开封府的官差，你私自关押御前护卫，已经触犯了王法。展昭如果再有个三长两短，你可就吃不了兜着走了。"

"我早就想好了，这次我是斗定这只猫了。他的亲戚也罢，朋友也罢，只要是向着展昭的，我一个也不饶！"

"五弟，你这话可真不留情面。你可知道我和那展昭是什么关系？"

"不知。"白玉堂故意装糊涂。

"实不相瞒，我妹妹丁月华已经许配给了展昭。你若不放展昭，我们哥俩就不能答应。"

白玉堂听罢，假装吃惊：

"哎哟，原来如此啊！若早知这样，我哪里还敢抓展老爷啊！"

丁兆惠一看有戏，便说：

"五弟，不知者无罪。我们也不会计较，不如你现在就把他交给我。展昭为人忠厚大度，不会与你计较的。"

"可我把他折腾得可够苦啊！他出来能和我善罢甘休？我看这样吧，你先去劝劝他，你把他说服了，我立刻就放人。"

"这样也好，那你带我去见他吧。"

白玉堂立刻领着丁兆惠出了前厅，柳青在这里等着。

时间不长，二人便进了一个院子。院子十分宽阔，正中央有所八角形的房子，非常气派。

白玉堂把丁兆惠领到屋里，说道："二哥，您先坐会，我去把展昭领来。"

丁兆惠应声说好，就坐在这儿等。白玉堂出去了好大一会儿了，也没见回来。丁兆惠心中不禁一动：看来其中必定有诈！想到此处，迈步就要往外走。刚到门口，就听到"咔吧"一声。这一声犹如晴天霹雳，把丁兆惠吓得一个激灵。

# 第十二章 天罗地网

一声巨响过后，整个屋子都黑了下来，伸手不见五指。丁兆蕙心里清楚，自己中了白玉堂的埋伏了。

正在此时，屋顶开了一个小小的天窗，白玉堂露出一张脸来，笑着说道："二哥，对不起了，你先在这紫竹轩迷魂厅里住两天。等我把姓展的制服，再来放你。"还没等丁兆蕙说话，"咔吧"一声，白玉堂把天窗关上了，留下丁兆蕙一个人在黑屋子里发呆着急。

白玉堂离开后不久，又有一个人来到了紫竹轩迷魂厅。他把天窗打开，冲着里面喊："二叔！"

丁兆蕙正着急呢，听到有人喊他，抬头一看，只见一个小孩趴在天窗上，便问道："你是谁啊？"

"二叔，我爹叫卢方，我叫卢珍。你别着急，我想办法来救你。"

卢珍是卢方的儿子，长得粉头粉脑，十分可爱，有个绰号叫"粉子都"。卢珍平时跟着卢方学习武艺和诗文，也是一身的本领。白玉堂也很喜欢卢珍，平时把岛上的消息埋伏都教给了他。这次白玉堂回来，言谈之中，流露出与其他四鼠不和。卢珍心里十分为难，不知道是帮着自己的父亲，还是帮着白玉堂。今天，他听说丁兆蕙被白玉堂给关在紫竹轩迷魂厅中了，十分着急，就偷偷来看看是怎么回事。

小卢珍把消息一摁，打开了迷魂厅的门，进了屋里。

丁兆蕙连忙说道："孩子，快救我出去！"

"不行，这里的机关只有我和五叔知道，如果我现在放你出去，五叔一定知道是我干的，非宰了我不可。你先忍一忍，我去通知大叔，让他来救你。你看好不好？"

丁兆蕙一想也没有别的办法了，就写了封信，让卢珍带着，去找丁兆兰了。

卢珍装好信，出了屋，一按消息，一切又恢复原状。他看看四下里无人，就施展开飞檐走壁的功夫，带着信直奔码头而去了。

时候不大，卢珍来到了码头，找了条小船，使足了劲向茉花村划去。一直划到天亮，才到了茉花村。上了岸，卢珍也顾不上休息，直接奔丁家庄而去。

丁兆蕙走后，丁兆兰带着人埋伏在芦花荡里等消息，等来等去，怎么也等不到信号，只好先把人马带回了庄子。丁兆兰担心弟弟的安危，一晚上都没有睡。

丁兆兰倒不是不敢带人打上陷空岛，他是担心情况没有搞清楚，万一误会了，后果不好收拾。没办法，只好干着急。正急着呢，卢珍来了。

卢珍一边喘着气，一边把情况说了一遍，最后把丁兆蕙写的书信交给了丁兆兰。丁兆兰把信看完，气得直拍桌子：白玉堂啊白玉堂，我们一向待你不薄，你竟然六亲不认，先困展昭，又把我兄弟困了。既然你不仁，那就不要怪我们不义了。想到这里，丁兆兰就要发兵攻打陷空岛卢家庄。

丁兆兰刚刚传令，卢珍把他拦住了，说道：

"大叔，我不是长陷空岛的威风，灭茉花村的锐气，陷空岛上机关重重，如果贸然攻岛，我们损失肯定非常惨重。而且，如果我们把五叔给逼急了，说不定他会把展老爷和二叔给废了。"

"那你说该怎么办？"

"我五叔虽然能耐很大，谁都不服，但他最怕一个人——我四叔翻江鼠。如果他在，什么事都好办了。"

·117·

"既然如此，也没有别的办法了。那我现在就修书一封，派人送往开封府，把翻江鼠请来。"

正在此时，看门的来报："回员外爷，陷空岛的三位员外来了。"

这真是无巧不成书，丁兆兰一听，喜出望外，连忙出去迎接。来的正是钻天鼠卢方，穿山鼠徐庆和翻江鼠蒋平。

展昭赌气离开开封府后，大家发现了他留下的书信，知道他去了陷空岛。包大人得知后，十分着急，立刻派人，准备捉拿白玉堂，蒋平主动请缨。于是兄弟三人便赶来了陷空岛。路上，三人商量，先来茉花村摸摸底，然后再回陷空岛，所以就来到了这里。

卢珍一看卢方，连忙跪倒磕头："爹爹！"

卢方一看，很是奇怪，问道："孩儿，你怎么在这里啊？"

卢珍站起身来，说道："一言难尽啊！"接着，把事情讲述了一遍。

卢方一听，怒不可遏，一拍桌子，就要带兵攻打陷空岛。蒋平说话了：

"大家不要着急，我自有办法。"这些人里面就数蒋平主意最多，每次遇到棘手的问题，都是靠他出谋划策。所以他一说有办法，大家的心都放下了一些。卢方最着急，问道：

"你有什么好办法？"

"你们听我安排。大哥，等会你带着卢珍先回陷空岛，面见我大嫂，让她放心。然后，卢珍你去把展昭、丁兆蕙救出来，把他们领到你爹屋内。孩子，你能办到吗？"

卢珍很认真地点点头，蒋平一看就放心了，又对丁兆兰说道：

"兆兰弟，你负责把包大人的三件宝贝找到。找到后，送到我大哥屋内。这事非常重要，就拜托给你了。"

"是。"

"另外，等会我们和老五交手的时候，你也要加入战群。不过点到为止即可，把他抓住就行了。"

蒋平又对徐庆说：

"三哥，刚才听卢珍说，岛上来了个柳青。这人和老五交情深厚，等会儿要是我们和老五动手的时候，他要插手，就比较麻烦了。所以，他就交给你。到时，只要他准备出手，你就把他截住，使劲骂他。骂人会不会？"

"嗨，骂人我最拿手了，骂一千句不带重复的。"

"那不行，你不能骂脏话。要这样这样……，明白了吗？"

"明白了。"

蒋平一看都交代完了，便让大家分头去准备，然后出发。

众人收拾完毕，正准备启程，蒋平突然大叫一声，翻倒在地。众人连忙将蒋平扶起，只见他嘴也歪了，眼也斜了，手脚乱蹬。大家吓坏了，连忙把他抬到床上，一时间也不知如何是好了。蒋平嚷嚷道：

"我肚子疼得要命，你们先走吧，我过一会儿就去。"

"你真的不碍事吗？"卢方十分关心蒋平。

"不碍事，不碍事，一会儿就好。你们先去吧。"

大家一看，也不便耽搁。丁兆兰交代下人好好照顾蒋平，众人分头离去了。

众人走了没多长时间，蒋平"腾"地从床上跳了起来，问伺候他的下人：

"你们这里有没有好的水手？"

"四爷，看您问的。要论水性，不仅我们茉花村，你们陷空岛也是好手如云啊！"

"我说的是出类拔萃的高手，除了你们员外爷，数谁最好？"

"丁勇。"

"好，立刻把他喊来。"

过了一会儿，丁勇来了。蒋平又吩咐下人准备了两柄钢斧，两根钢针，一条带舱的渔船、斗笠、蓑衣和渔网。等东西都齐备了，蒋平带着丁勇就上了船，直奔陷空岛的后岛白云岭而去。

白云岭两岸悬崖陡峭，只有一条水路。岸与岸之间十分狭窄，只有一百多步。河水很深，水流湍急。在蒋平的指点下，丁勇驾船很快便来到了白云岭。蒋平摆手示意丁勇将船停住，然后让丁勇拿着钢斧钢针跟着自己跳入水中。他们要到水中去砸断独龙桥，断了白玉堂的后路。

在白云岭的水下，有一条大铁链子，链子的两端分别挂在两岸的大铁环上。这条链子是白玉堂挂的，名字也是他起的。白玉堂恃才自傲谁都看不上眼，其他三鼠都让着他，也不跟他一般计较。只有蒋平不买他的账，经常气他。有一次，蒋平对白玉堂说：

"老五，别看你能文能武的，你只能在陆地上折腾，你敢和我在水里比划比划吗？"

白玉堂不会水，自然不敢和蒋平在水里较量，但他嘴不服软，说道：

"比武全看陆地上的能耐，水里那几下算什么。"

"好，你记着，迟早我要叫你在水里吃个亏。"

蒋平说的是玩笑话，可白玉堂记在了心里。他寻思着万一哪天哥儿几个闹翻了，我非吃亏不可。所以他便在陷空岛后打造了一条铁链，隐在水中，准备有个万一的时候，拽着铁链逃到对岸去。

这事别人都不知道，只有蒋平知道。所以他带着丁勇先来斩断独龙桥，断了白玉堂的退路。

蒋平和丁勇都是一等的水性，一会儿功夫，就将铁链斩断了。二人上船，蒋平让丁勇在这里撑船来回转悠，等着白玉堂。如果等会白玉堂来了，就把他骗上船来，然后往水里一跳，就行了，其他的什么都不用管了。交待完了，蒋平到船舱里睡觉去了。丁勇就撑着船在这里等白玉堂。

卢方带着卢珍乘着小船，偷偷地靠了岸，直奔卢家庄，回到了自己家中。两人见过了卢大奶奶，卢珍便背着单刀，去救展昭和丁兆惠了。

卢珍先来到紫竹轩迷魂厅，将消息按动，把丁兆惠放了出来。随后，两人又来到关押展昭的地方，将展昭救了出来。展昭一看，原来是丁兆惠，便问道：

"二哥，你怎么来了？"

"妹夫，这里不是说话的地方，等会我再告诉你。"

三人小心翼翼，回到了卢方的屋中。卢方见了丁兆惠和展昭，把事情和蒋平的安排都讲了。大家都对白玉堂又气又恨又惋惜，看来这次白玉堂是跑不了了。

丁兆兰一看该救的人都救出来了，便背着宝剑，前去盗宝了。他施展开飞檐走壁的本领，一会儿便来到了五义厅。白玉堂和柳青正在五义厅喝酒聊天呢。两人都已是面红耳赤酒意正浓。只听柳青对白玉堂说道：

"五弟，你从开封府里偷来的宝贝到底是些什么啊？"

"古今盘、照妖镜、游仙枕。"

"这可是三件稀世珍宝啊！听说那照妖镜，不论是人是妖，一照便知。五弟，你可曾试验过？"

"刚弄到手，展昭就跟着过来了。还没来得及看呢。"

"那正好，现在拿出来看看，让哥哥我也开开眼。你说可好？"

"这还不是一句话嘛！来呀，到蛤蟆峭将我带来的那三件宝贝取来。"

外面进来一人，正是前面抓展昭的白福。他接过钥匙，出了五义厅，前往蛤蟆峭取宝去了。

丁兆兰一听，心里高兴，什么功夫都没费，宝贝就要到手了。丁兆兰跳下屋顶，跟在白福身后。

白福提着灯笼，顺着小路，往后山走去。蛤蟆峭是一块大石头，半天然半人工，外形很像一只蹲着的蛤蟆。白福来到蛤蟆峭前，在"蛤蟆"脖子下抽出一块石头，将钥匙放进去转了几转，只听"嘎吱"一声，蛤蟆嘴张开了。白福将手伸进去，取出了三件宝贝。

丁兆兰一看，事不宜迟，一个箭步蹿上前去，一手捂住白福的嘴巴，另一只手就把刀架在了白福的脖子上了。

白福一扭头，看出来了是丁兆兰，以前都见过的。丁兆兰说道：

"不要喊叫。白福，我是为这三件宝贝而来，只要你不喊叫，我不会为难你的。你可明白？"

白福点点头。丁兆兰也不含糊，当下就把白福给扎成了个粽子，又把嘴巴堵上，扔在一个不太容易发现的阴暗角落里。丁兆兰拿上三宝，扬长而去。

丁兆兰回到卢方屋内，将三宝交给卢大奶奶保管。卢方一看该干的都干了，便带着大家兵分两路，包围了五义厅。

白玉堂在五义厅里等白福，怎么等都等不来，心里就有些嘀咕。正纳闷呢，就听着外面有人喊道：

"白玉堂，你给我出来！"谁啊？丁兆惠。他性子最急，也不等卢方发令，自己就跳到了院子当中。

白玉堂给吓了一大跳，心想我明明把他关在了迷魂厅，他怎么跑出来了？白玉堂提上湛芦宝剑，就蹦了出来。

"姓丁的，我问你，你是怎么跑出来的？"

"你那个迷魂厅算什么啊？我想出来就出来了。"

"你给我说实话，到底是谁放你出来的？"

"是你侄儿卢珍。"丁兆惠也是个实心眼，不会说瞎话，一句话，把卢珍给卖了。

卢珍在墙头上一听，这下可完了，五叔非找我麻烦不可。反正也跑不了，现在又有这么多英雄在我旁边，索性出去得了。想到这里，卢珍也跳到了院中，冲着白玉堂说道：

"五叔，对不起，是我放的。"

白玉堂这个气啊，想想自己平时待卢珍不薄，没想到关键时候卢珍却与自己作对。不过，白玉堂也没时间生气了，丁兆惠的刀已经砍过来了。两人就此战在了一起。

打了二十多个回合，丁兆惠撑不住了。白玉堂用的是展昭的宝剑，丁兆惠的刀只是普通家伙，吃亏吃大了。丁兆惠强攻也不行，硬挡也不行。一个不留神，刀剑相交，丁兆惠的刀被削去了半个刀头。

丁兆惠一看不妙，转身就跑。白玉堂一个纵身，剑中加脚，就把丁兆惠给踢倒了。白玉堂举起宝剑，就要往下刺。

说时迟，那时快，卢方一看不好，在墙上高喊：

"老五，住手！"说罢，飘身来到了天井当院。

白玉堂一看是卢方，不由得一愣。随后，给卢方施了个礼。

卢方没理白玉堂，先把丁兆惠给扶了起来。丁兆惠还不服气，要找个家伙与白玉堂再打。卢方对白玉堂说道：

"五弟，你也不是孩子了，怎么做事还这么任性呢？什么是对的，什么是错的，你还不清楚吗？你大闹开封府，又夜闯皇宫，包大人和皇上都没有怪罪你。你却不知悔改，变本加厉，偷盗三宝，软禁展老爷。你再这样折腾下去，谁也救不了你了！"

"大哥，你不用劝我。我不和展昭做个了断，我誓不罢休！"

话音刚落，展昭便从房顶上跳了下来，说道：

"五弟，展昭在此。"

白玉堂一看，又是大吃一惊，转念一想，不用说，也是卢珍放的。白玉堂知道大势已去，现在自己已是势单力薄，但白玉堂太过骄傲，他非要和展昭比个高下才罢休。他也不听展昭的好言相劝苦口婆心，挥剑就向展昭刺去。展昭一看没有办法，只好抢刀和白玉堂战在一处。

两人打着打着，都觉得十分别扭。因为展昭原来是使剑的，现在使刀，而白玉堂原来是使刀的，现在使着展昭的剑。展昭心想，无论如何，得先把宝剑给夺回来。他看白玉堂身后别着剑鞘，便使了个虚招，一个侧身，来到白玉堂身后，左手抓住剑鞘，右手用刀尖一挑，便割断了绳子，将剑鞘抢了过来。

白玉堂一看，急忙用宝剑去抢，但已经来不及了。展昭已经跳出了圈外。其实，这一次过招已经说明了二人的差距，如果展昭不是砍绳子，而是砍白玉堂的腰，白玉堂命已休矣。可白玉堂现在气冲脑门，只想着打败展昭。

展昭又使了个破绽，假装摔倒在地。白玉堂不知是展昭故意摔倒，一看机会来了，立刻挺剑便刺。展昭刚刚沾地，立刻反弹起来，双脚连环蹬出，一下蹬在白玉堂的手腕上。白玉堂疼痛难忍，宝剑把握不住，立刻撒手。展昭跟着往空中一跳，将宝剑接住。接着，又将刀扔给了白玉堂。

白玉堂接过刀来，气得浑身打颤，喊道："展昭，我跟你没完！"说罢，提刀便砍。

展昭无奈，又与他战在一处。

站在旁边的柳青一看，这样打下去，白玉堂准输不可。不行，自己要伸伸手，帮白玉堂一把。他刚要拽刀上去，徐庆跳了下来，高声喊道：

"姓柳的，过来！"

"三哥，你也要跟我比划比划？"

"姓柳的，有本事你跟我来，我有话和你说。"徐庆说罢，拐进了跨院。

柳青略一迟疑，也跟了上去。到了跨院，徐庆说道：
"柳青，你干什么来了？"

"来看望老五啊！"

"既然如此，我们打仗与你何干？刚才我们大哥已经把话
说得明明白白了，你难道没有听见？老五一时糊涂，误入歧途。
我们正在设法帮助他、挽救他，希望他回头是岸。你可好，不
仅不帮他改正错误，还想火上浇油助纣为虐，你这不是害他
吗？你非要他成为朝廷的对头，大宋的仇人你才称心如意，是
不是？你还号称什么白面判官，陕西的高人，你配吗？再说了，
我们几个是五鼠兄弟，这是我们自己家的事，你跑来瞎搅和，
你算什么东西？"

徐庆说的这些，都是蒋平教的。柳青听完之后，脸都变了。
仔细一想，句句在理：人家是磕头兄弟，我跑到里面搅和什么
啊？想到这里，柳青一拱手，扬长而去。

徐庆骂跑了柳青，转身回到前院。

展昭和白玉堂已经大战了五十多个回合。展昭一直给白玉
堂留着面子，怕当着这么多人把他打倒，他会挂不住。可老这
么下去，也不是个办法。正在此时，卢方、丁兆蕙、徐庆、卢
珍都涌了上来，与白玉堂战在一起。

白玉堂一看不好，一个箭步跳出圈外，说道：

"你们以多打少，我白玉堂好汉不吃眼前亏，咱们后会有
期！"说罢，三晃两晃，蹿进了旁边的树林中。

众人一看，急忙将树林围住。卢方一挥手，大家慢慢往里
面搜。为什么要慢慢地呢？怕白玉堂打暗器。搜来搜去，最后
搜到了一棵树下。树上挂着白玉堂的衣服，白玉堂早已不知去
向。众人无奈，只好出了树林，继续寻找。

渐渐地天已经亮了。徐庆站在高坡上，往四处眺望，只见远处有个白点儿晃动。看了几眼，确定那就是白玉堂，连忙带着大家往那里追去。

白玉堂此时已经众叛亲离走投无路了，他没有办法，只好直奔白云岭，这里是他惟一的退路了。白玉堂跑到岸边，回头一看，卢方他们已经不远了，急忙蹲下身形，去水里摸铁链，摸他的独龙桥。

一摸之下，白玉堂不禁大惊失色。独龙桥已经被蒋平斩断，他的退路也没有了。眼看后面众人就要赶到，大家一起都在喊白玉堂，让他站住留步，不要乱来。这一喊，白玉堂更着急了。

正在此时，水面上划来一只渔船。白玉堂一看，眼前顿感一亮。连忙招呼船家过来。

那船家正是丁勇。他见白玉堂站在岸上，心中暗喜，却还故意问道：

"唤我何事？"

"船家，你快快渡我过河。"

"对不起，我这是渔船，不是客船。"

"我可以多给你银两。"

丁勇一听，还摆出一副挺不乐意的样子，把船划到了岸边，把白玉堂接上了船。两人谈好价钱，丁勇调转船头，竹竿一撑，小船便驶离了岸边。

白玉堂刚走，卢方一行就赶到了，看着小船把白玉堂带走了，干着急没办法。

丁勇驾着渔船驶到了江心，这里水急浪大，而且到处都是漩涡。丁勇把船停了下来，问白玉堂要钱。白玉堂身上哪里带着钱啊！丁勇不依不饶，威胁白玉堂要把船开回去，白玉堂急了，挥刀就要砍丁勇。丁勇一个闪身，顺势跳入水中。

白玉堂一看没有了开船的，得，自己来开吧。他紧握竹竿，就来撑船。可白玉堂左捅一竿，右捅一竿，小船只在原地打转，就是不往前走。白玉堂正急着呢，一个人从船舱里走了出来。

白玉堂定睛一看，吓得魂飞魄散。

# 第十三章 天怒人怨

从船舱里出来的不是别人，正是翻江鼠蒋平。

蒋平把蓑衣一脱，笑嘻嘻地对白玉堂说道：

"五弟，我等你多时了。平时我让你学水，你说没有用，现在你该如何是好呢？"

白玉堂心里已经十分害怕了，可嘴上还不服输。他一边厉声骂道，一边挥舞着竹竿向蒋平猛扑过来。

蒋平也不与他过招，一个转身，跳入水中。蒋平从水里钻出脑袋，对着白玉堂说道：

"兄弟，下来喝几口水吧！"说罢，就开始摇晃渔船。

白玉堂一看，连忙用竹竿去戳水中的蒋平。蒋平那是什么水性，怎么可能让他戳到，一个猛子就扎进了水底。蒋平在水底就闹腾开了，一会儿顶右边的船舷，一会儿顶左边的船舷，顶得小船直晃悠。白玉堂开始的时候还能拿着竹竿戳蒋平，到了后来，连站都站不稳了。最后，小船硬是给蒋平折腾翻了。

白玉堂扑通落入水中，蒋平立刻游到他的身边，一手掐住他的脖子，一手去捅他的腋下。谁能架住这么一招啊！白玉堂立刻张开嘴巴，"咕嘟咕嘟"开始狂喝水。时候不大，已经喝饱了，人事不省了。

蒋平一看差不多了，把白玉堂拎上了岸。

众人都围了上来，一看是蒋平，忙问："哎，你怎么来了？"

"我不来，你们能抓住这只骄傲的小耗子吗？"

卢方见白玉堂肚子都鼓了起来，连忙让大家抢救白玉堂。众人七手八脚把白玉堂肚子里的水给弄了出来，又把他抬回了五义厅。

过了很长时间，白玉堂才慢慢醒转过来。众人一看他醒了，都围了上来嘘寒问暖。只有蒋平跑到了一边，他怕白玉堂知道是自己出的主意捉弄他。

白玉堂睁开眼睛，看见大家都在，展昭也站在旁边，不由得又把眼睛闭上了。他自觉羞愧难当，无脸见人啊！

展昭看出白玉堂的心事，对他说道：

"五弟！千不对，万不对，都是我展昭的错。我不应该用那个外号。等我回京之后，立刻奏明皇上，请他将我的外号去掉。五弟，请你原谅我吧！"说着，展昭"扑通"跪地上了。

展昭这么一跪，白玉堂再怎么任性也不敢造次了。他连忙翻身下床，将展昭扶起，紧接着，"扑通"一声跪在了展昭面前：

"展老爷，千不对，万不对，都是我白玉堂一个人的错。我已经知道错了，我愿意跟你进京请罪。"

大家一听，都拍手称好，忙把白玉堂扶到床上。一段恩怨就此了结。

卢方吩咐下人设宴款待众位英雄。酒过三巡之后，白玉堂对大家说道：

"我是犯了王法的人，愿意跟着展老爷回京请罪，任凭包大人发落。吃过饭后就走。"

众人听了，都点头称是。饭后，丁兆兰、丁兆惠兄弟也起身告辞，大家各自忙自己的了。展昭等人收拾好了东西，带着三件宝物，就押着白玉堂上路了。说是押着，其实一路谈笑风生，白玉堂也不带枷锁，根本看不出是官差押着犯人。行走多日后，眼看就要到东京了，展昭取出刑具，让白玉堂先带上，白玉堂欣然允命。不过白玉堂带着刑具走在大街上，很不好意思，怕给熟人看到，一直都是低着头。展昭知道他的顾虑，就雇了辆车。白玉堂坐在车内，和众人一起来到了开封府。

自从展昭走了以后，包大人一直心急如焚。三鼠去寻展昭，也是一直没有消息，包大人越发着急，心乱如麻。想到明天早朝，皇上有可能问起此事，包大人心里也是七上八下。正在着急时，有人来报，说展昭带着白玉堂回来了。不仅将白玉堂捉拿归案，还把三宝都找了回来。包大人的一颗心才算放了下来。

包大人传令下去，立刻升堂，审问白玉堂。不管怎么说，白玉堂也是个犯人，虽然包大人不会深究他的罪责，但过场还是要走走的。大堂之上，白玉堂对自己所干过的事供认不讳。包大人也只是严厉地批评了白玉堂，既没有用刑，也没有判刑。最后，包大人让白玉堂明早跟着自己去面见皇上。

次日一早，包大人就带着众位英雄上了八宝金殿。行过礼后，包大人把白玉堂引见给了皇上。四帝仁宗一看白玉堂长得一表人才，十分喜欢。又考了考他的文采武艺，格外满意，当下就封了白玉堂三品带刀御前护卫。白玉堂施礼谢恩，退到一边。四帝仁宗又问道：

"包爱卿，不是说五鼠吗，还有一鼠朕怎么没有见到啊？"

"陛下，彻地鼠韩璋并没有进京。"接着，包大人就把往事说了一遍。

"包爱卿，最好把韩璋也找来。到时候，朕也要封他官职，让五鼠兄弟一起为国家效力。"

"微臣遵旨。"

包大人带着众人回到了开封府后，立刻商量寻找韩璋的事宜。商量了半天，最后还是决定让翻江鼠蒋平出外寻找。

蒋平为了方便起见，装扮成了一个云游道士，头戴九梁道巾，身穿八卦仙衣。他将自己的分水峨嵋刺藏在手中的鱼骨筒中。另外，他准备了常用之物，怀中揣上开封府的龙边信票，便告别众人，寻找韩璋而去。

蒋平出了开封府，就寻思着到哪里去找韩璋。首先，他想到了韩璋的老家黄县。结果到了黄县一看，韩璋没有来过。蒋平又想起来二哥有个好朋友叫洗尘，住在河南信阳州，没准儿韩璋去了信阳。于是蒋平离开黄县，又前往信阳。

彻地鼠韩璋当初被蒋平用计气走之后，对于兄弟情谊彻底失望，发了誓言再也不交朋友了。他有心回到家乡，又怕到时四鼠来找，想来想去，想到了好友洗尘，便奔信阳而来。

这天中午，韩璋来到了信阳城内，他找了一家酒楼，准备先歇息一下，吃点饭，下午再到城外乡下找洗尘。韩璋进了酒楼，伙计很热情，把韩璋领上了二楼，带到了一张桌子前。韩璋看了看这个位子，有点偏，在一个角落里，不过韩璋只想着歇息吃饭，也不计较那么多了。韩璋点了菜，伙计很快就给上齐了。韩璋自己自斟自饮起来，也落得个清静。

旁边桌子上坐着两个老人，一边吃一边聊着。韩璋就听见那两人说道：

"那花蝴蝶逮住了吗？"

"哪能逮住啊！听人家说，那花蝴蝶是个大蝴蝶变的。白天不出来，专到晚上干坏事。谁家有长得漂亮的姑娘，他都知道。已经奸污了十八个姑娘了。而且，不仅奸污，干完了坏事后，还把人家姑娘杀掉，把心肝都给掏出来了。可惜那些女孩子，死得太惨了！"

"这一个月来，整个信阳州都被这个花蝴蝶给闹得人心惶惶的，谁也不敢出门。官府派人缉拿，可是连个影子都看不到。"

韩璋一听，知道这花蝴蝶根本不是什么蝴蝶变的，就是个采花贼。

当今武林之中，共分五大派、八十一门户。其中有个下五门，尽干些下三滥的勾当。看来，这花蝴蝶就是下五门的败类。这事我可要管一管。反正现在也没什么事，洗尘那里我也不急着去，我先会会这花蝴蝶。韩璋打定主意，继续吃饭。

正吃着呢，打楼下上来两人。一个是个英俊小伙儿，一个是个紫脸的大胖子。这个胖子肚子这个大啊，估计自己都摸不着自己的肚脐眼。这两位站在一起，格外引人注目，所以韩璋特别留意了一下。结果一留意，韩璋发现那个小伙自己认识。那个小伙是谁啊？不是别人，正是丁兆蕙。

南侠展昭收了白玉堂，便跟包大人提出了自己和丁月华的婚姻一事。包大人自然欣然答允，并为他置办一切。因此，展昭给丁氏兄弟写了一封信，告知他们年底前即可完婚。

丁兆兰、丁兆蕙收到书信，立刻禀告了母亲。一家人都十分高兴，开始张罗着为丁月华准备嫁妆。采购的事主要由丁兆蕙负责。丁兆蕙一出门，就把苏州、杭州转了个遍，花的银子都超过了万两。东西采办齐备后，丁兆蕙派人送回了茉花村，自己就准备到处走走溜溜。走着走着，来到了信阳。

丁兆蕙也听说了花蝴蝶的事，心里暗下决心，要帮老百姓除害。那天，丁兆蕙正在路上溜达呢，碰到了一个人，这个人就是那个大紫胖子。

那个大紫胖子可是江湖上鼎鼎有名的剑客。他复姓欧阳单字名春，人称北侠客。北侠欧阳春家住边北辽东千山白石岭，古郡凤凰亭。他从小生在武林世家，他的父亲、叔叔都是武林高手。欧阳春的本领远远超过了一般的剑客，软硬功夫，没有他不会的。他挎的那把刀，叫龟灵七宝。传说是大禹治水时造的，能切金断玉，削铁如泥。

丁兆蕙没有见过欧阳春，但因为欧阳春太有名了，而且长得格外有特色，所以丁兆蕙看见他，就想起了哥哥曾经和自己提起过欧阳春到茉花村做客的事。当时丁兆蕙正好去了浙江办事，因而无缘得见欧阳春，回来后十分惋惜。没想到，在信阳这里遇上了。

丁兆蕙上前相认，一问果然不错，正是欧阳春。欧阳春是来拜访好友离信阳十八里外的海光寺的长老海光和尚的，那天正好到信阳城里来买东西。两人一见如故。丁兆蕙还想和北侠学些能耐，所以十分客气，已经留了北侠好几天了。这天，两人来到这个酒楼吃饭。

韩彰一看，急忙把头转了过去。为什么啊？他现在心里还堵着呢，谁也不想见，特别是认识的人。而且到时丁兆蕙回到松江府，告诉了四鼠自己的行踪，又添麻烦。所以，韩彰把头转了过去。

北侠和丁兆蕙两人找了张桌子坐了下来，离韩彰挺远，中间还隔了根柱子。点了菜，伙计下去准备了。还没等菜上齐，楼梯响动，又上来几个人。

这几个人长得歪鼻子斜眼的，一看就不舒服。几个人走上楼来，就围着楼上的一张张桌子转来转去。掌柜的一看，连忙迎上去，说道：

"二位总管，难得你们过来啊！来，快，随便坐，随便坐。"

一个总管恶狠狠地说："一边待着去，今天，大爷要查看查看。"

几个人转来转去，就转到了韩彰隔壁那两个老头的桌子前。其中一个对着一个老头骂骂咧咧，要他还账。老头吓得哆哆嗦嗦，请他们再宽限几天。可那几个人不依不饶，就要动手打人。

丁兆蕙一看，就准备冲上去教训一下这几个人，结果被北侠给拉住了。韩彰也暗中准备，到了迫不得已的时候，就要挺身而出。正在此时，旁边一张桌子上站起来一位书生。他用扇子一拍桌子，说道：

"你们为什么要动手打人？"

"他欠了我们家老爷的钱，我们就要揍他。"

"欠钱还钱，你们凭什么打人啊？你们家老爷是什么人，你们竟然如此霸道！"

"说出来吓死你，我们家老爷就是马刚马员外。"

提起这个马刚，真是千人骂万人恨啊！他住在太岁庄，外号恶太岁。人如其名，可以说是无恶不作，鱼肉乡邻，抢男霸女，胡作非为。本地的官府也不敢管他，这全是仗着他的亲叔叔马朝贤。马朝贤在皇宫内当四肢库的大总管，专管皇上的龙冠、龙袍、玉带、朝靴等物品。马朝贤写得一手好字，下得一手好棋，还会溜须拍马，很讨皇上的喜欢。因此，皇上对他是有求必应，经常赏赐东西给他。马朝贤成了皇上面前的红人，马刚就仗着他叔叔的势力，横行乡里。而他手底下这些人，也狗仗人势，到处为非作歹。

那书生又问道："他欠你家老爷多少银子？"

"十两纹银。"

"不就是十两纹银吗？"书生说罢，从包中取出十两银子，给了那几个人，并要他们将欠条当众撕掉。那几个见银子到手，也不便再胡闹下去，就依言把欠条撕了，拿着银子，扬长而去。

老头对书生感激不尽，一定要问书生姓名，书生告诉他自己叫做倪继祖，杭州人氏。北侠觉得这书生品行不错，就留心把书生的话都记在了心里。韩彰心中也是对倪继祖赞赏有嘉。

几个人用过餐后，都各自离去。韩彰继续在城里转悠，寻访花蝴蝶的踪迹。北侠带着丁兆蕙回到了海光寺。

转眼到了晚上。熄灯之后，丁兆蕙怎么也睡不着。他是个急性子热心肠，一想到白天马刚的手下那么蛮横霸道，他就来气。想来想去，他准备夜探太岁庄，顺便教训一下马刚。丁兆蕙打定主意，起身带上装备，就离开了海光寺。

时候不大，丁兆蕙来到了太岁庄外。他正准备找个地方，翻墙进去，突然从树后面蹿出一人来，挥刀便砍。

这一刀来得这个快啊！丁兆蕙怎么也没有想到，会有人偷袭自己。幸好丁兆蕙身上也有两下子，一个铁板桥，身子向后一仰，躲了过去。即使如此，身上也是吓出一身冷汗。

那人一刀砍出，本想将丁兆蕙砍死，没想到丁兆蕙躲了过去，气得直跳，大声喊道：

"淫贼！今天爷爷定要为民除害，我跟你拼了！"说罢，抡刀又砍。

丁兆蕙几个闪躲，缓过劲来了，趁那人一刀砍空，就势来了个扫堂腿，一脚把那人绊倒。紧接着，冲上前去，踩住那人胸膛，捡起那人的大刀，用刀指着他，厉声喝道：

"我宰了你！"

那人并不害怕，反而破口大骂：

"你杀吧！花蝴蝶，你小子丧尽天良，迟早会不得好死。爷爷就是变成鬼，也要把你给掐死。"

丁兆蕙一听，不由一愣。花蝴蝶？难倒这小子要杀的是花蝴蝶？丁兆蕙把脚抬起来，让他起来，仔细询问他。一问之下，才知道了事情原委。

此人叫龙涛。他哥哥叫龙渊，在官府里当差，奉命捉拿花蝴蝶。结果没抓住花蝴蝶，反而让花蝴蝶给杀了。龙涛立志要为哥哥报仇，因此四处寻找花蝴蝶。刚才看见丁兆蕙长得英俊，又是外地人，误认成了花蝴蝶，所以挥刀便砍，闹出了一场误会。

丁兆蕙知道他是报仇心切，也没怪他，只是让他以后不要如此鲁莽。随后丁兆蕙又报上了自己的名号，那龙涛知道双侠的大名，十分佩服。丁兆蕙本来还想夜探太岁庄，这么一闹腾，决定先回去休息了。他告诉龙涛一定要小心行事，如果发现了花蝴蝶的踪迹，就到海光寺来找自己，那里还有北侠欧阳春。两人就此别过。

韩彰从酒楼出来，也是四处溜达，找寻花蝴蝶的踪迹，在城里转了一下午，也没有发现什么蛛丝马迹。用过晚饭，韩彰决定到城外找找看。天到二更时分，韩彰走在野外，发现前面来了一个人。这个人手里拿着折扇，鼻子哼着小曲，优哉游哉地在路上晃荡。

韩彰心想，这么晚了，他在荒郊野外干什么啊？没准儿他就是那花蝴蝶？再仔细一看，那人长得十分英俊。韩彰灵机一动，把刀抽出，高声喝道：

"站住！花蝴蝶，你小子作恶多端，今天是你的死期，看你还往哪里走？"

那人一听此言，不由得倒吸了一口冷气，"噔噔噔"退出好远去。

此人正是花蝴蝶。花蝴蝶姓姜名冲字永志，湖北荆襄姜家陀人。他自幼习武，人非常聪明，又拜了名师。他的师父可不是一般人，是八步登空草上飞钱万里。此人在大宋武林中是个头牌人物。钱万里还有个师弟，叫伸手得来乐天成，也是出了名的剑客。因此，姜冲学了一身好武艺。可是此人心术不正，学了武艺，不干好事，尽干些伤天害理的勾当。

姜冲退出几步后，定了定身形，把刀也拽出来了，问道："你是什么人？"

"我先问你，你是不是花蝴蝶？"

"正是你家大爷。你家大爷从来不杀无名之辈，你快快报上名来。"

"我乃彻地鼠韩彰！"

花蝴蝶一听，心里就是一紧。他知道五鼠的名号，晓得他们个个身怀绝技，不好对付。因此，花蝴蝶笑着说道：

"原来是韩二爷啊！这真是大水冲了龙王庙，一家人不认一家人了。大家都是武林同道，往日无怨，近日无仇，还请你高抬贵手，行个方便。"

"你说得轻巧，你杀了那么多人，就想一走了之吗？拿命来！"说罢，挥刀便砍。

花蝴蝶一看不打不行了，也抢刀与韩璋战在一处。这两个人的武艺可以说是各有千秋。花蝴蝶受过高人指点，刀法精奇，又年轻，但因为平时坏事做多，身子发虚，力气上吃亏；韩璋在刀上下过苦功夫，身体壮、力气猛，使出的招都虎虎生风，因此两人打了个平手，大战了四十个回合，也没有分出胜负来。

时间长了，花蝴蝶不济了。一来他感到体力渐渐不行了，另外他也是做贼心虚，怕万一引来官府的人就不妙了。

想到这里，他卖了个破绽，跳出圈外，就准备溜。韩璋一看他要溜，提着刀就来追，两人一前一后，就在野外跑开了。

韩璋追出去足有五六里路，眼前出现一片高粱地。花蝴蝶一低身钻了进去，韩璋不敢怠慢，也低头钻了进去。

正在此时，地头上突然蹦下两人来。一个人拿着棍子，一个人提着单刀，就奔韩璋扑过来了。韩璋一看对方来势凶猛，急忙一个"就地十八滚"，骨碌碌滚出老远。紧接着，韩璋一个"旱地拔葱"从地上跳了起来，挥起刀，三下五除二就将那二人手中的兵器打落，把两人都给摔倒了。

韩璋举起手中的刀，就要结果两人，只听那两人说道：

"你砍吧！花蝴蝶，你迟早会不得好死。"

韩璋就是一愣，问道：

"你们仔细看看，我怎会是那花蝴蝶？"

那两人抬起头来一看，才发现认错人了，忙向韩璋道歉。韩璋也没责怪他们，连忙询问缘由。

原来这两人中使刀的那个就是龙涛。他在太岁庄外告别了北侠和丁兆蕙后，继续在野地里寻找花蝴蝶。寻着寻着，突然发现一个黑影往庄稼地里跑。追了几步，他又碰上了巡夜的冯七，两个人便一起来追赶。结果跑到这片高粱地前，把花蝴蝶给放了过去，却把韩璋给截下了。

韩璋也通报了自己的姓名，龙涛和冯七也是久闻大名，十分敬仰。可惜那花蝴蝶已经跑得不知踪影了，没有办法，大家只好各自回去了。

韩璋又找了两天，这天他来到一座山前。远远地看到山前有个尼姑庵，庵前站了很多人。韩璋也挤了过去，询问之下，才知道这个庵叫做白衣庵，庵里住着两个尼姑。今天，有一个姓王的小寡妇要来庵落发为尼，所以引来了这么多人围观。

韩璋心想，那花蝴蝶喜好女色，说不定会来凑这个热闹。想到这里，韩璋就躲在人群之中，暗中观察。

时候不大，那小寡妇就坐着轿子来了。尼姑庵里的两个尼姑出来把她迎了进去。就在此时，韩璋发现花蝴蝶也在人群之中，并且在和两个尼姑打招呼，眉来眼去的。韩璋发现此事蹊跷，本来想拔刀动手，后来考虑到这里的老百姓较多，万一伤及无辜就不好了，所以准备晚上再来动手。

转眼到了晚上，韩璋带好家伙，来到了白衣庵内。韩璋蹑手蹑足，来到窗前，点破窗棂纸，往里面观看。这一看可不要紧，把韩璋给吓了一大跳。

# 第十四章 针锋相对

　　韩璋往屋里一看，只见花蝴蝶那淫贼正在屋中，坐在床上，左拥右抱着两个尼姑。那个姓王的小寡妇被五花大绑，放在床上。两个尼姑一个劲儿地劝那寡妇，让她从了花蝴蝶，享受欲仙欲死的快乐。那寡妇自是不从，眼看花蝴蝶就要霸王硬上弓了。韩璋一看，不能再等了，顺手拽出一支镖，高声喝道："呔！淫贼，还不住手！"话音未落，镖就打了出去。

　　因为是隔着窗户纸打镖，镖打得稍微有点歪，没有打中花蝴蝶，打在了他的帽子上。就是如此，也把花蝴蝶吓了一大跳。那小子略定惊魂，抬起一脚就把桌子踢翻，把灯打灭。

　　韩璋跳到院中，叫骂花蝴蝶。花蝴蝶一听，心想我怎么这么倒霉啊，看来是被五鼠给缠上了。无奈，花蝴蝶抽刀蹿出门外，与韩璋又打了起来。

　　花蝴蝶一边打一边琢磨：韩璋三番五次地找自己麻烦，是不是后面有官府在撑腰？想到这里，花蝴蝶又想溜。他虚晃了一招，跳出圈外，三蹦两蹦上了房顶，冲韩璋摆摆手，跑了。

韩璋一看，急忙追赶，追到墙外，看见龙涛和冯七也赶了过来，正与那花蝴蝶战在一处。花蝴蝶虚晃了两招，接着再跑。韩璋让龙涛和冯七料理庵中事务，自己跟着花蝴蝶的背影就追了下去。

追着追着，追到了一座大庙前。花蝴蝶到庙门前，也不敲门，直接就进了庙里。韩璋追上来一看，庙门上写着"铁塔观"三个大字。他略一思索，从墙上跳了进去。

这个铁塔观里住着一个观主，叫吴道成。此人是花蝴蝶的好朋友，也是个好色的淫贼。花蝴蝶走投无路，前来请他帮忙。

那吴道成正在屋中喝酒，突然看见花蝴蝶走了进来，鞋子也掉了，帽子也散开了，十分狼狈。花蝴蝶说明来意，吴道成说道：

"贤弟，莫要害怕，只要那只耗子敢来我这儿，我定叫他有来无回。"

话音刚落，只听屋外有人喊道：

"你家二爷在此，谁要叫我有来无回啊！"

花蝴蝶一听是韩璋的声音，魂都快吓出来了。吴道成连忙安慰他，表示自己先去会会韩璋，让花蝴蝶在里面等他。说罢，拿着双剑冲了出来。花蝴蝶一想，两个人总好过一个人，拿着刀也跟着出来了。

韩璋一看出来个道人，并不认识，便问吴道成叫什么。吴道成报了自己的名号，便与韩璋战在了一处。两人打了十来个回合，就分出了高下，吴道成根本就不是韩璋的对手，已经被韩璋逼得手忙脚乱大汗淋漓了。花蝴蝶一看不好，挥刀就上来助阵。

有道是"双拳敌不过四掌，猛虎斗不过群狼"，韩璋一个打两个就开始感到吃力了。打了十几个回合，渐落下风。韩璋心想这样打下去肯定要输，不行，我要用镖。想到这里，韩彰向后跳了一步，将刀交到左手，右手掏出一支镖来，照着吴道成就打了过去。吴道成一看，连忙一缩脖，躲了过去。韩彰一看，连忙又放了一支镖，这次是打花蝴蝶。没想到花蝴蝶早有防备，一侧身，一伸手，抓住了镖穗。紧接着，一甩手，把镖又打了回来。

这下，韩彰可没有料到，这支镖正好打在韩彰的腿上。虽然没有扎进去，可也擦伤了皮肉。韩彰的镖上都是带毒的，如果不赶快医治，性命难保。

韩彰连忙手按创口，飞身上房，转身就要跑。吴道成和花蝴蝶一看，起身就要追赶。正在此时，花蝴蝶突听脑后生风，连忙一个藏颈缩脖，躲过了这一下。他回头一看，原来是龙涛拿着大刀赶来了。

龙涛受韩彰之托，料理白衣庵的事务。他找来地保，帮助冯七，自己便赶来助韩彰一臂之力。结果紧赶慢赶，还是来晚了一步，韩彰已经负伤逃走。

龙涛性子火烈，他想为自己的哥哥报仇，也顾不上那么多了，挥刀就和花蝴蝶战在一处。但龙涛的能耐和花蝴蝶比起来差得太远了，没几个照面，就被花蝴蝶打翻在地。吴道成要花蝴蝶留活的，又找来一根绳，和花蝴蝶两人把龙涛绑在了院子里的一根灯笼杆上。花蝴蝶问吴道成为什么要留活的，吴道成说要做个"爆炒人心"好下酒喝。这句话把龙涛给吓了半死，大喊救命。吴道成和花蝴蝶也不理他，回到屋里去了。

没想到，龙涛这么一喊，还真有用，喊来了一个人，谁啊？翻江鼠蒋平。

蒋平装扮成道士，出来寻找韩彰，来到了信阳地界。一路上，他也听说了花蝴蝶的事，于是打定主意，一边寻找二哥，一边追拿这个花蝴蝶。这天晚上，他出来溜达，溜达到了铁塔寺门口，突然听到里面有人喊救命，于是就跳了进来，正好看见了被捆在灯笼杆子上的龙涛。

蒋平悄没声息地来到龙涛身边，帮他把绳子解开。龙涛正要问他是谁，蒋平一摆手，让他快走，龙涛依言先走了出去。正在此时，吴道成从屋子中走出，突然看见龙涛不见了，不禁好生奇怪，喊了花蝴蝶一声，就在院子里找了起来。蒋平瞅准机会，跑到吴道成的身后，一晃分水峨嵋刺，扎了他个透心凉。可怜吴道成，连死都不知道是死在谁手上的。

·143·

这时，花蝴蝶也从屋里出来了，看见吴道成已经倒在了血泊之中，蒋平就站在他的尸体旁边。花蝴蝶一晃手中的刀，喝道："哒，你是何人？"

蒋平一看，反问道："你是何人？"

"我是花蝴蝶姜冲，你是什么人？"

"噢，原来你就是姜冲啊！踏破铁鞋无觅处，得来全不费功夫。小子，你听好了，我就是你家四爷爷，翻江鼠蒋平！"

花蝴蝶一听，脑袋"嗡"一下就懵了。心说这是怎么了，是不是捅了耗子窝了，刚刚赶走一个，这又来一个。他倒不是怕蒋平，他是怕五鼠全来了，那麻烦可就大了。但是事到如今，他也没有办法，只好硬着头皮和蒋平战在了一处。

两人一交上手，就知道对方的能耐了。蒋平的能耐明显要比韩彰强，也更加灵活。但花蝴蝶确实有两下子，蒋平要想把他一下拿住，也不是那么容易。两人打了五十多个回合，不分胜负。打着打着，花蝴蝶虚晃了一招，跳出圈外，夺路而逃。蒋平也没有追他，为什么呢？追也是白追。蒋平只是在后面喊着："小子，今天让你跑了，下次看你还往哪跑！"

这时候，龙涛走了过来。原来他也没有走远，一直在旁边盯着，准备随时帮忙。两人通报了姓名。龙涛一听是蒋平，立刻把韩彰的事告诉了蒋平。蒋平一听说韩彰中了毒镖，大惊失色，忙叫龙涛带自己到韩彰住的地方去。龙涛就带着蒋平去了韩彰住的旅店。

等他们到了韩彰住的地方，天也已经放亮了。蒋平问明店家，直接去了韩彰的屋子。

蒋平一进屋子，看见韩彰正躺在床上，屋中间摆着个炉子，上面熬着药。韩彰一见蒋平进来了，把脸转过去面对着墙壁，一声不吭。

蒋平知道韩彰还在生自己的气，连忙走上前去，又是赔礼又是道歉。韩彰还是不理不睬，蒋平就在那里说开了。又是大家如何如何思念韩彰，又是现在四鼠在东京当官如何如何风光，又是自己如何如何对不起韩彰了，总之，什么好听说什么。最后，说到了花蝴蝶，韩彰一听，接过了话。兄弟俩这才说上了话。蒋平多聪明的人啊，韩彰一张口，蒋平就知道有戏，说着说着，兄弟俩就冰释前嫌重归于好了。

后面两天，蒋平一心一意伺候韩彰，用韩彰配的方子抓药熬药，很快韩彰就痊愈了。韩彰也十分感动，兄弟情谊又进了一层。韩彰对蒋平说道：

"老四，我可从来没有吃过这样的亏啊！无论如何，你也要帮我把花蝴蝶这小子抓住，为民除害。"

"二哥，你放心。这小子丧尽天良罪恶滔天，我岂能袖手旁观？而且，我现在也是开封府的人了，抓他也是我的责任啊！"

这时旁边的龙涛也插了句话："是呀，这样的畜生，不仅官府要抓他，连北侠欧阳春和丁兆蕙也都隐身在海光寺，暗中追拿于他。"

蒋平和韩彰一听，喜出望外，连忙让龙涛带着去海光寺，和欧阳春、丁兆蕙见面。

不久，三人来到了海光寺。欧阳春、丁兆蕙和主持都迎了出来。大家彼此见过，便坐在了一起，讨论如何抓花蝴蝶的事。正在此时，冯七进来了，他告诉了大家一个消息。原来，那花蝴蝶已经逃到了邓家堡。

欧阳春一听，脸上不觉蒙上了一层阴影。大家不解，忙问他是怎么回事。欧阳春说道：

"诸位，那邓家堡的堡主叫做邓车，人称神手大圣铁臂猿猴。此人武艺高超，并且有一手百发百中的弹弓绝技。他的手下有五六百之众，都是些江洋大盗绿林飞贼，其中不乏高手。而且，那邓车和襄阳王赵珏、宁夏王赵元浩，军山的飞叉太保钟雄都有联系，是个了不起的角色。我们去邓家堡要人，他们肯定不会轻易答应。如果要和他们较量，我们的力量又不够。所以我才觉得为难啊！"

蒋平一听，说道："老哥哥，你也别急。要不这样吧，我先混进邓家堡去打探一下，如果花蝴蝶在里面，我们再想办法；如果他不在，我们也不必捅这个马蜂窝。你看如何？"

众人一听，都不同意，蒋平一人前往邓家堡太危险了，韩彰的脑袋摇得跟波浪鼓似的。蒋平劝慰大家：

"你们放心，我不会贸然行事的。首先我要化装前往，就我身上这套装扮，你们看像不像算命的？"

大家一看，知道蒋平心中有数，而且也想不出更好的办法，就答应了蒋平。蒋平特别交代：自己要是到了三更天还没有回来，就是出事了。到时大家再想别的办法，捉拿花蝴蝶。

众人又是一番叮嘱之后，蒋平独自一人上路了。那邓家堡离这有八九十里路，蒋平走了好久，才到了堡外。只见邓家堡占地足有几十亩，外面还有一条护城河，河上有座桥，上刻"鸳鸯桥"三个大字。桥上人来人往，好不热闹。蒋平也不知道为什么这么热闹，他脑袋瓜子一转，想了个办法。

蒋平过了桥，来到邓府门前，摆了个地摊，吆喝着给人算命。人一下就围了上来，蒋平察言观色连唬带蒙，还真猜对了几个。这下围观的人就更多了，挤得水泄不通。蒋平正在这儿给人算着命呢，打邓府里面出来几个人。为首一个小伙儿，挎着单刀，手里还拎着条皮鞭，一边往前走，一边喊着："躲开，躲开！"

人群"哗"就闪开了一条道，那几个人来到了蒋平面前，为首的那个小伙问道：

"喂，你叫什么名字？"

"贫道姓蒋，叫蒋四水。"

"在哪里出家？"

"白云山白云观。"

"没听说过，离这里有多远？"

"三千多里。"

"听说你算命很准。这样吧，今天是我们家员外的寿诞之日，你来给我家员外算一卦。算得好，自然有赏，算得不好，小心脑袋！"

蒋平一听，这可是个好机会，进了邓府，就可以查看那花蝴蝶在不在了。不过他也知道进去的危险性，万一给人识破，那就有来无回了。不入虎穴，焉得虎子？蒋平一横心，就跟着那几个人进了邓府。

走到大厅里，蒋平一看，好家伙，可不得了。大厅里黑压压地坐满了人，全是贼，没一个好东西，足有三四百人。蒋平用眼睛一扫，发现里面还有不少高手，像金枪将王善，银枪将王宝，铁鞭将胜万川，还有最厉害的小瘟侯徐昌等三四十位，都在里面坐着呢。

蒋平急忙上前给邓车施礼："无量天尊！祝员外爷福如东海长流水，寿比南山不老松。"

邓车也很客气，问了问蒋平姓名仙乡，蒋平把那套瞎话又说了一遍。接着，蒋平就开始给邓车算命了。说是算命，其实就是拣好听的说。蒋平能说会道，一通夸啊，把邓车说得心花怒放哈哈大笑，命管家去拿白银百两，赏给蒋平。

蒋平施礼谢过，暗中寻找花蝴蝶，找来找去，也没有找到花蝴蝶。蒋平心里纳闷：难道那花蝴蝶没有来邓家堡？这时管家把银子取来了，蒋平接过连声称谢。就在此时，花蝴蝶从外面走了进来。蒋平一回头，正好和他打了个照面。两个人都吓了一跳。花蝴蝶愣了一下，立刻喊道："你是蒋平！"

花蝴蝶这一嗓子，把全大厅的人都给震了，整个大厅突然安静下来，静得连一根针掉在地上的声音都能听见。蒋平定了定神，说道：

"这位老爷，你可是认错人了？贫道与你素昧平生，你怎么把贫道认成了蒋平？"

"就是你，你就是烧成灰我也认得你。"

群贼一听，纷纷拽出家伙，"呼拉拉"把蒋平给围了起来。蒋平一看，心又提到嗓子眼了，不过蒋平毕竟是蒋平，他沉住气，笑呵呵地说道：

"这位老爷，你认错人了。我是邓员外请来算命祝寿的。你说的那个蒋平在开封府呢！"

蒋平这么一说，群贼又有些犹豫了，一时真假难辨。邓车也拿不定主意。他对花蝴蝶的印象一直不好。花蝴蝶从铁塔观逃出来后，就来投奔他。虽然大家都是贼，但杀人放火的一贯瞧不起强奸妇女的，所以邓车也不爱搭理花蝴蝶。他把花蝴蝶安排在一个偏房，这次过生日也没有请他出来。花蝴蝶也知道自己不太受欢迎，但人在屋檐下，不得不低头，为了逃命，也只好忍一忍了。这次邓车过生日，没有请他，但他想趁邓车高兴，出来祝祝寿，拍拍马屁，也好混个人缘，所以自己就来到了大厅。没想到，刚进大厅，就看见了蒋平。

花蝴蝶一看大家都将信将疑的，冷不防将蒋平手中的鱼骨筒夺了过去。他晃了晃，听见里面"哗啦哗啦"直响，打开盖子，一倒，从里面倒出了那对分水峨嵋刺来。群贼一看，这才信了，"呼拉拉"往前一涌，就把蒋平拿下了。蒋平一看，也不做抵抗，束手就擒了。

邓车问道："你此番前来我邓家堡，意欲何为？"

"你家蒋爷爷，是来抓贼的！告诉你们，你们一个也别想逃走，这次要把你们全部抓住。"

群贼一听，一拥而上，狂揍蒋平。可怜蒋平给打得头破血流鼻青脸肿。邓车一听蒋平的话，心里有些害怕：无缘无故，五鼠为什么要来找自己的麻烦呢？现在他们是官府的人了，要是官府派来大队人马，就麻烦了。不做亏心事，不怕鬼敲门。邓车以前也是草莽出身，杀人越货的事干过无数，心里也害怕着呢！想到这里，他让群贼先不要打了，把蒋平吊起来，衣服扒了，开始严刑拷打，询问他到底来了多少人埋伏在什么地方。

蒋平自然什么都不会说。不仅不说，还接着破口大骂。邓车听了，火冒三丈，命手下狠狠地打。花蝴蝶最来劲儿，拿着皮鞭，沾上水，这通抽噢！最后，硬是把蒋平打得昏了过去。花蝴蝶冲蒋平浇了一桶水，把蒋平给浇醒了，接着继续打。

蒋平一看这情形，今天可能要给活活打死在这里了。他一转念，使出了一招绝技——装死。花蝴蝶打着打着，发现蒋平脖子一仰，眼睛一翻，死过去了。不管花蝴蝶怎么泼水，怎么烟熏火燎，怎么狂抽猛打，蒋平一点反应都没有。花蝴蝶摸摸蒋平的胸口，还有一点点热气，便对邓车说道：

·149·

"庄主，这小子恐怕活不了了。"

"嗯，把他拉出去砍了。"

群贼一听，就涌上前去，去解蒋平身上的绳索。

在这群贼里，有一个叫小诸葛沈仲云的。他是湖北襄阳人氏，虽然自小投身绿林，但比较善良。他听说过五鼠，知道他们是英雄好汉，不忍心蒋平就这样惨死。但他又不好为蒋平求情，于是心生一计。他走上前去，对邓车说道：

"庄主，且慢！"

"沈贤弟，什么事啊？"

"庄主，今天是你的寿诞之日。如果杀人见血，非常不吉利。我看他已经奄奄一息了，不如先找个地方，把他关起来。等过了你的喜日，我们再把他杀了也不迟。"

邓车一听，觉得言之有理，就同意了沈仲云的意见。这时花蝴蝶急了，连忙说道：

"庄主爷，此人可留不得啊！万一被人救走，无异于放虎归山。到时五鼠找上门来，就麻烦了。依我之见，管他什么喜日不喜日，一刀下去，宰了得了，免得夜长梦多。"

花蝴蝶说得其实有道理，但这小子一向没有什么威信，说话没人理他。邓车又一直都很讨厌他，所以一听他这么说，便把脸一沉：

"我的生日难道不重要吗？休要多嘴，我一言既出，驷马难追。来人，把他押入大牢。"

就这样，蒋平被关进了死牢。

夜半时分，蒋平突然听见外面有动静。先是"扑通""扑通"两声，接着"喀嚓"一声，牢门上的锁被打开了。"吱扭"一声，铁门被推开了，进来一人。

蒋平一看，眼泪都出来了。来的是谁啊？彻地鼠韩璋。韩璋拿着刀来救蒋平了。蒋平抹了抹眼泪，声音颤抖地说道："二哥！"

"四弟，让你受苦了！"韩璋把蒋平搂在怀里，也"扑哧扑哧"掉眼泪。

两人哭了一会儿，蒋平问道：

"二哥，你怎么来了？"

"你走了以后，大家就不安起来。北侠欧阳春想来想去，决定让丁兆惠带着龙涛和冯七赶赴信阳州报官，请他们出兵捉拿花蝴蝶，即使捉不到花蝴蝶，也要把邓家堡给抄了。然后，他就带着我赶来邓家堡了。"

"那北侠呢？"

　　"他从正门进去了。他说以拜访的名义从正门进，一来探个虚实，二来也可以分散邓车他们的注意力，便于我来救你。"

　　"那岂不是太危险了？"

　　"那可不是，我也担心他呢。四弟，我先把你送到安全的地方，再去帮老侠客。"

　　"这邓家堡内，哪有安全的地方。你先把我放在院子里吧，快去帮助老哥哥。"

　　韩璋就把蒋平背到了院子里的一个葡萄架下，这里比较黑，一般人不太容易发现。然后韩璋就奔前厅去给老侠客助拳了。

　　北侠欧阳春现在已经进了邓府了。他深夜来访，把片子交给门房。门房把片子递了进去，邓车一看，吓了一大跳，群贼也是心头一惊。欧阳春太有名了！他深夜来访，肯定是冲着花蝴蝶和蒋平来的。这下，邓家堡可要热闹了。

　　邓车有心不见又不行，人家已经闯上门来了，而且当着这么多人的面，自己也不能显得太胆小。于是邓车便带着群贼出去迎接欧阳春。把欧阳春接到前厅，宾主落座，邓车问道：

　　"老侠客，不知深夜来访，有何贵干啊？"

　　欧阳春也不客气，开门见山："邓庄主，我此次登门拜访，一为那花蝴蝶，一为那翻江鼠蒋平。不知他们二位是不是都在庄上？"

　　邓车一听，不禁张口结舌。他没想到欧阳春会如此直截了当。如果照直回答，下面肯定有麻烦，如果不回答吧，当着这么多人的面，自己显得怕了欧阳春，脸上也挂不住。邓车把脸一拉，说道：

　　"老侠客真是爽快人，你说的这两人都在我的庄上。花蝴蝶就在那里——"说着，顺手一指花蝴蝶。花蝴蝶一看，连忙往人群里躲。邓车接着说："至于那蒋平，他假扮道士，跑到我这里来捣乱，已经被我关起来了。"

"既然这样，老夫有一个请求。希望邓庄主能够把这两个人都交给我。"

"想要人？我想问问你凭什么要人？"

"就凭我掌中这把刀。"欧阳春说着，拍了拍自己胯边上的那把龟灵七宝刀。

"哈哈哈！"邓车放声大笑，说道，"欧阳春，我敬重你是江湖上知名的侠客，对你客气。你却非要以武力逼人，邓某不才，愿意奉陪到底。"说罢，邓车一摆手，做了个请的动作，那意思是说，走，我们到院子里去比划比划。

欧阳春站起身来，跟着邓车走到了院子里。群贼围在了旁边，手里都攥着家伙，就等着邓车一声令下，扑上去帮忙。

欧阳春做了个手势，让邓车出招。邓车也不客气，抡起大刀就往欧阳春砍来。

# 第十五章 恶贯满盈

邓车使的这把刀是根长杆大刀，是在马上使用的，在陆地上使用不是太方便。但邓车在这把刀上下过苦功夫，所以一刀劈来，力大势沉，刀风逼人。欧阳春一看，心里也不禁暗暗佩服，同时又觉得有点可惜：一个难得的高手却误入歧途。

欧阳春"滴溜溜"一个转身，把刀躲过。邓车一看，又奔欧阳春下盘砍来，老侠客使了个旱地拔葱，又躲了过去。邓车不等老侠客落地，挺刀往老侠客胸口刺去。欧阳春在空中一个鹞子翻身，跳到了邓车的身后，又躲了过去。

邓车回头，问道："你为什么不出手？"

欧阳春回答："我跟别人动手，前三招都是让别人的，不会出手的。"

邓车一听，气得哇哇大叫，恶狠狠地扑了上来，就与老侠客战成了一团。别看欧阳春肚子那么大，但打斗起来一点也不吃力。上下腾挪，左躲右闪，十分灵便。掌中那把刀使得也是神出鬼没，刀刀不离邓车的要害。两人打得分外热闹。

群贼都在那儿聚精会神地看着，时刻准备着上去帮忙。花蝴蝶有点待不住了，他看邓车已经渐渐处在下风，心里担心万一邓车输了，要是说话算数把自己交出去就麻烦了。想到这里，他看看四周，发现别人都在聚精会神观看比武，他慢慢地往后退，退出了人群，溜了。

他也不敢走大门，找了个没人的地方，从墙上翻了出去，顺着大道拔腿就跑。花蝴蝶跑出去三里多路，他又不跑了。花蝴蝶一琢磨，大树底下好乘凉，不管怎么说，邓家堡人多势众，自己混在里面还安全。这要是跑了出来，万一遇上五鼠，连个帮忙的人都没有，那我就死定了。想到这里，他又跑回来了。

花蝴蝶跑回邓府，寻思也不能再回前院了，便想找个僻静的地方躲起来。找来找去，他找到了一个犄角旮旯处的葡萄架，刚往里面钻，突然发现不对，里面有人。谁啊？正是蒋平。

韩璋将蒋平藏在这里，便去帮助欧阳春了。蒋平一个人躲在这里等，突然看见一个人钻了进来，仔细一看，原来是花蝴蝶，便知道这小子肯定是心虚，跑到后面来躲藏了。仇人相见，分外眼红。蒋平一下就扑上去了，双手死死卡住花蝴蝶的脖子。

花蝴蝶没有想到葡萄架下有人藏着，而且还是蒋平，猛地被蒋平卡住脖子，吓了一大跳，就与蒋平扭打在了一起。蒋平毕竟身上有伤，力气不足，挣扎了几下子，被花蝴蝶一下给摔了出去。院子的地上都是石头，把蒋平给硌得这个疼啊！

花蝴蝶如果就势上来，蒋平肯定还要吃亏。但花蝴蝶心虚啊，他想：蒋平自己不可能逃出来，肯定是被其他的四鼠给放

出来的。前面还有个欧阳春，我还是抓紧时间溜吧。想到这里，他拔腿又跑。

花蝴蝶顺着邓家堡北面的官道一路跑下去，跑着跑着，突然看见前面灯火通明，一队官兵直奔邓家堡而来。这是丁兆惠带着龙涛和冯七去信阳州搬的援兵。花蝴蝶一看，扭头就往河边跑。跑着跑着，跑到了鸳鸯桥边。他看了看黑乎乎的桥洞，觉得这里是个藏身的好地方，就钻了进去。

无巧不成书。桥洞里面也躲着个人，谁啊？还是蒋平。

花蝴蝶走了以后，蒋平寻思着也不能躲在邓府内了：两人打斗了半天，说不定已经有人发现了。蒋平忍着痛跑出了邓府，躲在鸳鸯桥下。没想到，花蝴蝶也跑了过来。蒋平一看，得，真是冤家路窄，拼了得了！想到这里，蒋平从黑暗中扑了出来，一下就把花蝴蝶扑到了河里。

·155·

花蝴蝶没想到蒋平躲在桥洞里，冷不防被蒋平给扑倒在水里，"咕咚咕咚"喝了好几口水。

可蒋平也万万没有想到，花蝴蝶的水性也很好。刚才是没留意，所以被灌了几口，现在缓过劲儿来了，双手一分水，双脚一踩水，就与蒋平在水中厮打起来。

在水中动手，拳打脚踢都没有用，只有让对方喝水才行。两人你按我的头，我按你的头，在水中这个折腾啊，大晚上的，声音传出去好远。打着打着，岸上来了两个人。正是那龙涛和冯七。

龙涛和冯七看见水中有人打斗，仔细一看，原来是蒋平和花蝴蝶。两人连忙跑到河边上，冲着蒋平喊道："蒋四爷，是你吗？"

"是我啊，你是谁啊？"

"我是龙涛，他是冯七。"

"那可太好了，你们快来帮我抓住这花蝴蝶啊！"

"可是我们都不会水啊，怎么办？"得，来了两旱鸭子。

"你们找些石头，瞄准了花蝴蝶的脑袋使劲砸。"

"好的，好的。"这活儿他们能干。两人立刻找来不少石头，对着花蝴蝶就砸开了。

花蝴蝶在水中有蒋平和他纠缠，想冒出水面换口气，又有石头招待。一个没留神，一块石头正好砸在花蝴蝶的脑门子上，花蝴蝶"哎哟"一声，沉入水中，喝起水来。

蒋平一看，拎住花蝴蝶的领子，踩水分浪，就把花蝴蝶提到岸上了。到了岸上一看，花蝴蝶的肚子都圆了。蒋平虽然也是精疲力竭浑身疼痛，但心里十分高兴，终于为地方除了一害。他指挥着龙涛和冯七将花蝴蝶捆绑起来，又把他肚子中的河水控净。

花蝴蝶慢慢醒转过来，一看这情形，知道自己已经是死路一条了，脑袋也耷拉了下来。蒋平让龙涛和冯七进邓府去帮忙，自己在这里先看着花蝴蝶，顺便也休息休息。龙涛和冯七应声而去。

北侠欧阳春和邓车打了五十多个回合，邓车已经知道自己不是欧阳春的对手了。欧阳春有个外号，叫"佛心北侠"，从来不轻易杀人，所以他一直没有对邓车下杀手，不然邓车早就玩完了。邓车也是行家，知道欧阳春手下留情。他又打了一会儿，突然跳出圈外，把大刀交给了仆人，不打了。

邓车对欧阳春一拱手，说道："老侠客，您的武艺确实名不虚传，邓某输得心服口服。不过，我还有一点微薄之技，想在老侠客面前献献丑。"

"有话请教。"

"我有个外号叫神手大圣，那是因为我善打弹弓，所以得名。我想用弹弓打你几下，如果你能躲过，那我就真的服了。到时，任凭发落处置。不知，老侠客敢不敢和我比试。"

欧阳春一听，哈哈大笑，说道："久闻邓庄主的弹弓绝技，老朽早就想领教了。既然庄主这么赏脸，那么就请吧。"

邓车往后走了三十多步，从身上取下了弹弓和弹丸。邓车用的弹丸是铅沙做的，有手指肚那么大，十分沉重。打在身上，轻则青紫，重则一个窟窿。邓车举起弹弓，瞄准了欧阳春，喊道："老侠客，小心了！"说罢，便打出了一颗弹丸。

欧阳春不仅身体灵活，而且眼神特别好。并且，他的眼睛与众不同，是夜眼，晚上看东西，比白天还清楚。邓车的弹丸打出，欧阳春看得格外真切，一个闪身，就躲开了。那弹丸直飞过去，打到了后面的墙上。"啪"的一声，墙上的砖头被打裂了一大块。

·157·

邓车一看第一颗打空了，紧接着，第二颗又打了出来。

欧阳春一闪身，又躲过了。

邓车拿着弹弓，"噼里啪啦"地就打开了。欧阳春的身手多敏捷啊，哪能给他打到啊！上下腾挪，左右闪躲，都躲开了。躲着躲着，欧阳春不乐意了：怎么没完没了了，邓车你也太不够意思了。看来不露一手，你还不服。想到这里，欧阳春也不躲了，他见一颗弹丸打过来，用手中的宝刀迎着弹丸就劈了过去，弹丸应声变成了两半。

邓车一看，知道用弹丸也不能取胜了，冲着左右喊道："弟兄们，别光顾看了，大家一起上啊！"

群贼一听，"呼啦啦"全都扑了上来。欧阳春艺高人胆大，也不惧怕，挥动宝刀，就同群贼战在了一处。

韩璋刚才就已赶到，躲在墙头上暗中观察。现在看见群贼准备围攻老侠客，韩璋一抽单刀，从墙上跳了下来，也加入了战团。

正打得难解难分呢，官兵赶到了。丁兆蕙带着龙涛和冯七赶到信阳州搬兵，知府大人了解情况后，立刻派了骑兵、步兵两千名，由一名副将带队，赶到了邓家堡。两千官兵一到邓家堡，先将邓家堡围了个滴水不漏。然后，挥旗擂鼓，就冲了进来。

邓车往四下里一看，知道完了。那些狐朋狗友见势不妙，已经跑了大半。他心中一阵难过：平时吃我的喝我的，一到关键时刻，都他妈溜了。不过他也顾不上难过了，一转身，也跑了。

群贼一看，头都跑了，还在这儿打什么啊，"哗——"全散了。外面围着的那些官兵虽然勇敢，但哪里是这些绿林贼寇的对手啊。一群贼寇在邓车的带领下，杀出包围，跑了。

欧阳春也没有穷追不舍，他的做事风格是得饶人处且饶人。他把情况和带队的副将说了，让官兵将邓车的家给抄了。

正在此时，龙涛和冯七也赶过来了。两人见了北侠欧阳春，立刻把蒋平抓住花蝴蝶的事说了。众人一听，十分高兴，立刻跟着龙涛和冯七直奔鸳鸯桥而去。

蒋平一边看着花蝴蝶，一边休息。这两天的遭遇可把他给累坏了，蒋平打定主意，等这事了了，回到陷空岛要好好休息休息。正想着呢，鸳鸯桥上来了一人。此人个子挺高，但骨瘦如柴。乍一看，还以为一具能走动的骷髅呢！那人拿着一根青竹竿，走到蒋平和花蝴蝶面前，突然问道："被捆之人可是姜冲？"

花蝴蝶正闭着眼睛等死呢，忽然听见有人喊他的名字，不由一愣，抬头一看，顿时惊喜交加，连忙说道："师叔，正是徒儿，快来救我！"

那人闻听，立刻向花蝴蝶走来。蒋平一听花蝴蝶喊那人师叔，立刻站了起来，他仔细盯着那人观看。只见那人年过六旬，但双目如电，太阳穴高高鼓着，一看便是一位武林中的高手。蒋平心中便是一惊：此刻手中既无兵刃，身边也无帮手，万一要是动起手来，说不定要吃亏啊！想到这里，蒋平冲老者一抱拳，说道：

"老人家请留步。"

老者站定身形，看了看蒋平，问道：

"你是谁啊？是干什么的？"

"我家住陷空岛卢家庄，姓蒋名平，人送外号翻江鼠。现在开封府效力，官拜六品带刀校尉。"

"哦，原来你就是翻江鼠蒋平啊！失敬失敬！"老者说罢，一拱手。

"不敢当，敢问老人家贵姓啊？"蒋平也是拱手还礼。

"我跟蒋四爷就没法比了。我有一个小小的绰号，那也是朋友抬举给起的，叫伸手得来，我叫乐天成。"

蒋平一听，如同当头一棒，当时就懵了。

·159·

大宋时期，全民尚武。不管城市还是乡村，人们都喜欢打拳踢腿，耍弄几下。但都以健身锻炼为主，高手并不多。当时武林中有五大门派：

一、少林派——总院就在河南嵩山少林寺。主持为欧阳中惠，也就是欧阳春的父亲。

二、昆仑派——总院设在昆仑山小西天三十三层天外天，主持为卧佛昆仑僧。

三、峨眉派——总院在四川峨眉山云霄观，当家人是白云剑客夏侯仁。

四、莲花派——总院在云南东海小蓬莱碧霞宫，当家人是武圣人于和于九莲。

五、武当派——总院设在武当山三皇观，当家人是飞飞上人诸葛遂。

五大派里，又分为九九八十一个门户。练武之人可以随意挑选，喜欢哪个门户就加入哪个门户。乐天成就属于莲花派。他还有个师兄，就是八步登空草上飞钱万里。

乐天成和钱万里的为人不怎么样，所以教出来的徒弟也是好的少坏的多，要不然也不会有花蝴蝶这样败类。而且，乐天成还喜欢护短，因此徒子徒孙更加变本加厉胆大妄为。

这次，乐天成从东海碧霞宫出来办事，路过信阳州，听到了花蝴蝶的劣迹，看到了捉拿他的布告。他也知道花蝴蝶做的不对，但也不忍心自己的徒侄就这样送命。于是决定找到花蝴蝶，把他带回碧霞宫。一来严加管教，二来避避风头。他想起花蝴蝶认识邓车，于是便来邓家堡寻找，没想到，正好碰上蒋平在鸳鸯桥下看着花蝴蝶。

乐天成可是武林中数得着的剑客，人称"人中的剑客"。蒋平定了定神，说道：

"原来是乐老剑客，久仰久仰。不知老剑客这是打哪儿来，要到哪里去啊？"

"我从哪儿来，你用不着知道；我要去哪儿，你也不用管了。咱们不要扯那么远了，就说说眼前的事吧。我听说这个徒侄最近在信阳州做了些不太光彩的事，所以特地下山来，准备把他带回去，严加管教。不知蒋老爷能不能高抬贵手，行个方便。"

"这——"蒋平一听，知道要坏事，说道，"老剑客，此事恐怕不妥。花蝴蝶身上已经背了几十条人命，血债累累罪大恶极啊！我们费了这么大的力气，才把他抓住。您一句话，我就把他交给你，恐怕没这么容易的事吧！而且，他已经触犯了大宋的律法，按律应由官府治罪。我现在又是开封府的官差，按私按公，我都不能放他啊！"

"如此说来，蒋老爷是不给老朽面子了？"

"我只是按章办事，请老剑客不要为难我。"

"既然如此，那就不要怪我不客气了，蒋老爷。"乐天成说到这里，就要上前给花蝴蝶松绑。

·161·

蒋平一看，立刻挡在花蝴蝶身前，伸手就向乐天成的面门打去。乐天成一看，顺手一拨，就化解了蒋平的招数。蒋平的武艺搁在常人身上还行，和乐天成这样的高手比起来就差得远了。不要说现在蒋平身上有伤，精疲力竭，就算现在他什么毛病都没有，手中还有兵刃，他也不是乐天成的对手。

乐天成一转身，来到蒋平的身后，伸手冲着蒋平一点，高喊了一声："定住！"

蒋平还真听话，一动也动不了。这是点穴术，是武功中的上乘技术。只要给点上了穴位，人就不能动了。蒋平干着急，也没有办法。

正在此时，北侠欧阳春带着众人赶到了。大老远一看乐天成正在给花蝴蝶松绑，欧阳春高声喊道："那不是乐天成吗？快快住手，欧阳春到了。"话音刚落，欧阳春一个纵身，就跳到了乐天成面前。众人也随后赶到。

乐天成一回头，看见是欧阳春，心中也是一惊，本来要帮花蝴蝶松绑的手也缩了回来。

欧阳春冲乐天成一拱手，说道："老剑客，你这个徒侄做的事情伤天害理人所不齿。你是明白人，如果包庇于他，不仅是非不明令人耻笑，而且还会玷污你们的门派。现在官府已经插手此事，我劝你还是少管闲事，早点走吧。"

乐天成一听，还颇不以为然。他觉得自己的武艺不错，在武林中也算是有名有姓的人，想把欧阳春他们全打趴下，把花蝴蝶救走得了。于是说道：

"今天，我是救定我的徒侄了。你若识相，趁早闪开；否则，就不要怪我不客气了。"

丁兆蕙、韩彰他们一听，火"腾"地就上来了。丁兆蕙一晃大刀，就扑了上来，冲着乐天成就是一刀。

乐天成闪身躲过，哈哈一笑，说道："你要是能在我手底下走过三个回合，我就不叫伸手得来。"他这个外号的意思是：不论和谁动手，只要他一伸手，就能取胜。

欧阳春一看，这不是等于以卵击石嘛，连忙把丁兆蕙挡在了身后，说道：

"老剑客，我知道你有个外号叫'伸手得来'。我看这样吧，你先打我一下，然后我再打你一下。你若把我打趴下了，花蝴蝶你带走，我决不阻拦；如果你没把我打趴下，对不起，请你不要再插手这件事了。"欧阳春对人一贯客气，即使是对乐天成这样的人，他也给留着面子呢。他没有说把乐天成给打趴下，只说如果自己没有被打趴下就如何。

乐天成一听，觉得挺划算，就同意了。

欧阳春又说道："不过，你要先把蒋平给放了。"

乐天成便抖手将蒋平的穴位给解了。蒋平这才能够动弹，回到欧阳春这边。

欧阳春来到乐天成面前，站定身形，全身贯气，说道："老侠客，你请吧，随便打哪儿。"

乐天成也不客气，说道："欧阳春，我打你的顶梁。"说完，往后退了好几步，把双臂抡开，瞪眼凝眉，开始运气。只见他的胳膊越来越粗，最后足有碗口粗细。紧接着，乐天成快速走到欧阳春面前，举起右手，对着欧阳春的脑门子就拍了下来。

乐天成练过铁砂掌，这一掌下来，能开碑裂石。如果平常人受了这么一掌，早就脑浆迸裂一命呜呼了。可是欧阳春受了这一掌后，纹丝未动。

行家一伸手，就知有没有。乐天成一看，知道欧阳春练过金钟罩铁布衫的功夫。心想：我要是挨他一掌，肯定麻烦啊！想到这里，乐天成说道：

"老侠客，果然厉害！你等着，迟早我要找你算这笔账的。"说罢，扭头跑了。

大家一看乐天成跑了，都在后面骂他小人做事说话不算数。乐天成也顾不上脸面了，逃命要紧，头也不回，一口气跑得没影了。欧阳春一向宽厚待人，也不去追赶。

蒋平一看乐天成跑了，气就不打一处来。从丁兆蕙手里拿过单刀，就把花蝴蝶的脚筋给挑了，一边挑着，一边说道："看你还往哪里跑。"

此时的花蝴蝶已经是泄了气的皮球，一句话也说不出来了。

乐天成走了，花蝴蝶抓住了，邓家堡也给抄了。众位英雄押着花蝴蝶姜冲，来到了信阳州府。官府核实了他的罪状，把他凌迟处死，为死者报了仇，信阳州从此平安无事了。

蒋平带着韩彰回了东京，向包大人交了差。皇上也见过了韩彰，对他也是非常喜欢，封了他六品带刀校尉，在开封府供职。从此，五鼠兄弟重新团聚，一起在开封府辅佐包大人。

欧阳春和丁兆蕙是江湖中人，不想踏入官场。两人一起去了茉花村，为展昭张罗婚事。到了年底，展昭赶到茉花村，奉旨完婚，并把丁月华接到了东京。

一切事宜都已料理完毕，北侠欧阳春告别众人，继续闯荡江湖了。

欧阳春练的是罗汉体，是不能娶媳妇的。所以他打定主意，走南闯北，访名山、游古迹，顺便还研究佛学。再过几年，就把脑袋一剃，削发为僧了。

光阴似箭，岁月如梭，北侠浪迹江湖一晃就是一年。这一天，北侠来到了杭州地界的霸王庄内。时值中午，北侠觉得有点饿了，就进了家酒楼。找了个二楼靠窗的桌子，点了八个菜，一壶酒，准备吃饱喝足歇息一下。一会儿功夫，酒菜上齐，欧阳春一边吃着，一边寻思着：自抓住花蝴蝶，不知不觉已经过了一年了。一年来，我也转了不少地方，如今，再去少林寺看看我的父亲欧阳中惠，然后我就回辽东老家……

欧阳春正想心事呢，突然听到大街上一阵嘈杂。他探身往下观看。只见一个彪形大汉，抬着一张桌子，桌子面朝下，腿朝天，四条腿用白布围着，里面还坐着个女人。欧阳春仔细一看，那女人被捆得结结实实，嘴里还塞着布。从地上看，肯定看不到桌子里还有人，但从楼上看，就清清楚楚了。那大汉行走如飞，一转眼就消失在路的尽头。

欧阳春不知情由，就把伙计喊过来询问。伙计摇摇头，叫欧阳春不要多问。欧阳春更加不解，坚持要问。伙计没有办法，只好小声告诉了欧阳春。

原来，本地有一霸，叫做小霸王马强。此人欺男霸女，无恶不作，是当地的一害。被抢的那个姑娘十分漂亮，叫做翟晚娘。他爹翟九成，是个老秀才。前不久，马强看上了翟晚娘，便上门提亲。那翟九成自然一百个不答应。于是马强就下了毒手，硬抢了。那老头还不知是死是活呢，这姑娘眼看就要毁了。唉，大宋天下，朗朗乾坤，还有这种胡作非为的人，却没有人出来管一管。不仅没有人管，连说一说的人都没有，大家都怕被马强知道了，后果不堪设想。

伙计越说越生气，说了半天，抬头一看，差点没乐了。欧阳春坐在椅子上睡着了。伙计心说：费了半天吐沫星子，都白费了，掉脸走了。

其实欧阳春并没有睡，伙计说的话，他都听见了，一个字没落。他这样做是掩人耳目。他想了很久，终于想起来了信阳州还有个恶太岁马刚，就是马强的哥哥。这弟兄俩，仗着四肢库大总管马朝贤的势力，为非作歹鱼肉乡邻，都不是什么好东西。上次本来就该荡平太岁庄的，后来忙着抓花蝴蝶，没腾出手来。这一次，一定不能放过马强了。想到这里，欧阳春算完饭钱，离开了酒楼。

·165·

欧阳春出了酒楼，准备先找个地方休息一下，晚上好夜探霸王庄。他出了霸王庄，奔村北的一片小树林而去。进了树林，刚坐下来准备歇息，就听见前边传来痛哭之声。欧阳春循声而去，只见前面有一位老者，踩着一块石头，正在把脖子往挂在树上的绳子里套。

原来有人要上吊！

# 第十六章 九死一生

欧阳春一看有人要上吊，一个纵身就奔了上去。他抱着老者，将他放了下来。那老者被人救下，也不感谢，哭得反而更厉害了。欧阳春便询问缘由。

原来，此人就是翟九成。因为女儿被抢，却又无计可施，所以自寻短见。欧阳春想了想，说道：

"老人家，你要是也走了，谁还来救你的女儿呢？"

"可是我活着又有什么用？我如何去救我那可怜的女儿啊？"

"老人家，咱们打官司告状还不行吗？"

"上哪儿打官司啊？他们官官相护沆瀣一气，告也是白告。"

"我听说杭州新来了个太守，此人比较公正。"

"天下乌鸦一般黑，我看也好不到哪里去。"

"先别把话说绝了，先去试试看，说不定能行呢？实在不行，咱们再想别的办法。"

他们俩正说着呢，打老远走来两个人，一老一少。那年轻的头戴公子巾，身穿公子氅，手拿折扇儿，四处张望。那老者背着个箱子，也是东张西望的。

欧阳春越看那个年轻人，越觉得眼熟。看了一会儿，他终于想起来了，这个人就是倪继祖。

欧阳春和丁兆蕙有一次在信阳吃饭，曾经遇上太岁庄的走狗收账，是这位倪继祖挺身而出，帮助一位老者还了账，所以欧阳春一直记得他。后来倪继祖前去参加科举考试，当年的主考官就是包大人。最后，头名状元是颜查散，二名榜眼就是这倪继祖。

四帝听说后，十分高兴，委以重任。颜查散当了枢密院的掌院，倪继祖当了杭州太守。

倪继祖本是杭州人，按照大宋的规定，为了防止营私舞弊，是不允许本地人在当地做官的。但倪继祖在京期间，人缘很好。他结识了五军提督府铁帽子王爷岳横。岳横收他为义子，并在皇上面前担保他将是一个清官好官。皇上见岳横做保，他又是包拯的徒弟，于是就派倪继祖到杭州任了太守。

倪继祖刚刚到了杭州上任，就收到了五六百份状纸，全是告马强的。不是杀人害命，就是强抢民女，要不就是霸占田产，反正没好事。倪继祖一看，心里琢磨：这马强是何许人也，竟然如此猖狂！看来，不除此人，我这个太守是做不好的。他想了半天，传令下去，把告状之人全部赶出了公堂。

他这么做，别人都不理解。老百姓都骂他是个昏官，连跟了他多年的老家人倪忠也不理解。倪继祖对倪忠解释道：

"我也是没有办法，不得不出此下策。你想啊，马强既然能做出这么多伤天害理的事情来，他在杭州的势力一定很大。刚才在公堂之上，那么多人，难保里面不会有马强的耳目。我这样做，是为了掩人耳目麻痹恶人。我准备微服出访，搜寻证据，到时人证物证齐全，我再将马强一举拿下。"

倪忠这才明白。于是主仆二人穿了便装，离开了杭州，到霸王庄访查民情。刚走到树林，就碰上了欧阳春和翟九成。

欧阳春一看他们的装束，就知道倪继祖的打算了。他让翟九成上前去找倪继祖，让倪继祖帮他写状子。翟九成开始还有些将信将疑，但想想也没有别的办法了，就冲出树林，对着倪继祖喊冤枉。

倪继祖听见有人喊冤，吓了一大跳。扭头一看，原来是个老者。只见那老者的眼睛都肿成桃子了，嗓子也哑了。他不知其因，忙扶住老者问缘由。翟九成就把前后经过说了一遍，最后，请倪继祖帮忙写份状纸。

倪继祖一听，又是告马强的。他略思片刻，让倪忠将书箱打开，取出文房四宝，便准备替翟九成写份状子了。

正在此时，大道上飞来十几匹快马。为首的是匹大红马，马上那人也是红装裹身，远远跑来，好像一团火焰在跳动。那人手提皮鞭，目露凶光，盛气凌人。后面跟着的人也都是横眉竖目趾高气扬的。来的非是别人，正是小霸王马强。

马强听说倪继祖到了杭州上任，心里就有些七上八下。他知道倪继祖是包拯的徒弟，为人正直，自己干了那么多坏事，到时肯定不会放过自己的。所以马强便来到杭州城内，向朋友询问倪继祖的底细，并且商量了对策。这时正在回霸王庄的路上，不巧，碰上了倪继祖。

马强一看起初并未留意他们几人，后来走到近前，看见纸上写着"原告翟九成，被告马强"，才明白这几个人是要告自己的。又仔细一看，原来其中一个老头就是翟九成。当时提亲的时候，马强和翟九成曾经见过几面，所以有印象。

马强翻身下马，冲着翟九成就是一个嘴巴子："老不死的，居然还想告我，我看你是活够了！"

倪继祖在旁边一看，急忙上前来阻挡。马强抬起一脚，就把倪继祖踢倒在地，又命手下人把倪继祖几个都给绑了。几个打手搜了搜倪继祖他们的身，没想到把大印给搜了出来。马强一看，印上刻着"杭州太守"几个字，立刻明白了：新任的杭州太守这是在微服私访呢！不用说，肯定是针对我的。算你倒霉，正好落在我手里。他想了想，命手下人将倪继祖他们全都带回了霸王庄。

·169·

欧阳春躲在树林中，一直没有出来。他为什么不出手相助呢？欧阳春有自己的想法：首先，如果现在就跳出来，对于以后搜集证据不利。其次，现在是白天，马强他们不会在白天对倪继祖下手的，到了晚上，我再夜探霸王庄，搭救倪继祖，也为时不晚。另外，他还看到了一个人。

在马强身后站着一个人，这个人威武英俊一身正气，欧阳春认识他。他叫黑妖狐智化，不仅武艺高强，而且足智多谋。有他在，倪继祖不会出什么事的。

小霸王马强带着手下，押着倪继祖三人就回到了霸王庄。一回到庄里，马强就把倪继祖提到了前厅来审问。倪继祖是包拯的学生，一身正气，刚正不阿。不仅没有被马强的淫威所吓倒，还把马强大骂了一通。

马强这个气啊，立刻叫人把倪继祖推出去斩了。手下有个叫杜勇的，心狠手辣，提着刀，推着倪继祖就到了院子里。正巧，黑妖狐智化赶了进去，他冲着杜勇就是一拳，正好打在杜勇的腮帮子上，差点没把杜勇打趴下。杜勇跳起来，就要和智化拼命。

智化问道："谁让你这么干的？"

"是庄主下的命令。"

"那庄主也是混蛋。你等着，我进去问问庄主去。"

马强听到院中吵闹，也跑了出来，正好看见了智化。智化对着马强施了一礼，问道："庄主，杀倪继祖可是你的主意？"

"正是。"

"那你可错了。"

"错了？我哪里错了？"

"你想啊，倪继祖是朝廷的命官，四品皇堂啊！你光天化日把他杀掉，若是走漏了风声，传到皇上和包公耳朵里，他们能够善罢甘休吗？您势力再大，，你能斗得过皇上吗？"

马强一想，可也是。他问智化："那你说怎么办？"

智化眼珠一转，计上心来。他对马强说道：

"庄主，这个杭州太守不仅杀不得，您还得把他给放了。并且还要设宴款待，好言相对，就说开个玩笑，试试他的胆量，然后您再亲自把他送出庄外。"

"什么，把他送走？"

"别急啊！送他是假，是做给别人看的。然后，在暗中派人把他给抓回来，押进水牢。到那时，人不知，鬼不觉，再把他杀掉。你看这样可好？"

马强一听，哈哈大笑，说道："真不愧是我的智囊军师啊，想得太周全了，就依你。"于是命人立刻将倪继祖等人放了，设宴款待，送出庄外。然后再派人暗中将其抓回，关入水牢，就等半夜将他们杀掉。

智化出这个主意，是个缓兵之计，他这样争取了时间。他准备在半夜别人动手之前，先把倪继祖他们给放了。

智化是个好人，为什么却混在小霸王这些恶人中间呢？智化是黄安府黄安县智家屯人氏，父亲叫智端。智端曾经当过杭州太守，结果被马强所害，丢官弃职，打回原籍。临死前，智端交代自己的儿子，也就是智化，让他一定要为自己报仇。智化料理完后事，便准备为父亲报仇。不过他报仇和别人不一样，他准备先打入马强内部，取得马强的信任。然后暗中收集证据，等时机成熟，把这伙恶人一网打尽。因为他知道，要杀一个马强并不难，但后面还有一个马朝贤，一定要把他们一举歼灭才行。今天，他看见倪继祖就要遇难，所以想出了这个缓兵之计，准备挺身而出，援救杭州新太守。

马强把事情处理完毕，就急急忙忙奔赴内宅。他急着去见翟晚娘。刚走过当院，丫鬟朱素珍迎面走来，对他说道："大奶奶请你到内宅去一趟。"

马强一听，心里挺不乐意，但又没有办法，只好跟着朱素珍去了内宅。

马强虽然凶蛮无理称霸一方，但他惟独怕这个大奶奶。因为这个大奶奶姓郭，是原来三千岁郭槐的亲侄女。人家门第高大，而且这位奶奶行得正、走得端，为人光明磊落。马强平常坏事做多了，心里也虚，所以他谁也不怕，惟独怕这位大奶奶。

马强来到内宅，一看大奶奶正沉着脸坐在床上呢。马强连忙上前，嬉皮笑脸地说道："夫人，嘿嘿，找我有什么事啊？"

郭氏咳嗽了一声，说道："你最近又干了什么见不得人的事啊？"

"没有，没有啊！"

"没有？今天上午抢来的那个姑娘是怎么回事？"

"啊，这个——"马强一听，顿时气短，支支吾吾说不出话来。

"我已经把她给放了，今天晚上你就不要想什么糊涂心事了，老老实实在我这儿睡觉。"

马强一听，当时就傻了眼了。郭氏也不理会他，叫朱素珍收拾床铺，准备睡觉。马强苦着脸说道："夫人，这时候尚早，我睡不着啊！"

"睡不着也得睡，上来。"

得，马强没办法，脱了衣服，老老实实上了床。就在他脱衣服的时候，"哗啦"，一串钥匙掉到了地上。几乎霸王庄内所有重要的门锁上的钥匙都在这里了。丫鬟朱素珍把钥匙拣了起来，挂在了墙上，便走了出去。

到了半夜，朱素珍悄悄地回到了内宅。她看了看床上的郭氏和马强，都已睡熟，便偷偷地把挂在墙上的钥匙拿了下来，然后又悄悄地退了出来。

朱素珍的父亲叫朱焕章，是本地的一个学究，擅长书法绘画。因为朱素珍长得十分漂亮，马强就动了歪念头，想将朱素珍霸占到手。多次提亲未果之后，他就想出了一条毒计。他请朱焕章到府里作画，然后设宴款待，将他灌醉。又把值钱的东西放入朱焕章的口袋，然后把他送回了家。紧接着，就说马府失窃，并派人到朱焕章家中，搜出了赃物，于是便把朱焕章扭送到了官府。直到现在，朱焕章还被关在杭州府的大牢里呢！

朱焕章一入狱，马强便把朱素珍抢到了霸王庄。幸好郭氏及时发现，把朱素珍认为义女，并让她做了上房的丫鬟。这样一来，朱素珍喊郭氏为娘，喊马强为爹，马强就不便再做什么见不得人的事了。

朱素珍进了马府后，表面上很顺从，心里却恨透了马强。她听说杭州新太守被关进了马府的水牢，她就打定主意，要将倪继祖救出。因为这是她救自己爹爹的最好机会。

朱素珍拿了钥匙，又到了厨房，准备了些酒菜，端到了自己房中。这才提着灯笼，来到了水牢门口。

把守水牢的人一看有人过来，齐声喝问。仔细一看，原来是马强的干女儿朱素珍，连忙陪笑问好。朱素珍编了通谎话，说马强让自己来办事，还把钥匙交给了自己，大奶奶还预备了酒菜，就放在自己屋里，请几位过去享用。那几位一听，立刻乐得屁颠屁颠的，跑到朱素珍屋里去了。

朱素珍看看他们已经走远了，急忙打开牢门，进了水牢。她定睛一看，水牢中是一池脏水，脏水中立着十几根木桩，上面绑着三个人。朱素珍连忙帮他们松绑，又把他们带到了后花园内。

朱素珍搬来一个梯子，架在墙上，让倪继祖他们快快逃命。那两个老头受了这么多苦，爬起来这个慢啊！倪继祖就在下面等着，趁这空儿，和朱素珍就聊上了。倪继祖问道："不知救命恩人尊姓大名？"

"我叫朱素珍。请问您是不是就是倪大人？"

"正是在下。"

"倪大人，我有一事相求。"

"姑娘请说。"

"我爹爹叫朱焕章，被马强陷害，现在还被关在杭州大牢中。请倪大人主持公道，将我爹爹放出来。"

"好的，我到时一定明察此事，姑娘请放心。"

正在此时，就听前院有人喊："水牢门开了！哎哟，人都跑了！快来人啊！"

朱素珍一听，脸色就变了，连忙让倪继祖赶快走。倪继祖也慌了，哆哆嗦嗦爬上了墙头。一慌张，"扑通"，从墙上摔了下去。这一下，摔得浑身疼痛，腿还给摔瘸了。倪继祖看看四周，也找不到那两个老头了，一瘸一拐地就往黑暗中逃去。

朱素珍见倪继祖已经逃了出去，爹爹得救指日可待，心也就放了下来。她已经抱了必死的决心，因此不慌不忙，回到自己屋里，在梁上挂了根带子，就准备悬梁自尽了。刚把脖子放进去，把凳子蹬了，屋外跑进来一个人。此人一进屋，连忙将朱素珍放了下来，一摸胸口，还有热气。他用床单将朱素珍包了起来，背在身上，蹿出门外，"蹭"就上了墙，跑了。

此人是谁？此人叫方貌，外号小方朔。他一直在霸王庄混饭吃，早就看上了朱素珍。今天，他值班巡逻，听见有人喊"水牢的人跑了"，便四处查看，正好看见朱素珍奔回自己的屋里，于是尾随进去，看见了姑娘上吊自杀。

方貌背着朱素珍，一路狂奔，不一会儿，便出了霸王庄，来到了一片树林。他把朱素珍放下，就准备趁人之危。正在此时，突然远处走来三个人。走近了一看，是三个老人。中间那位长的可真胖，另外两位加在一起也没有他一半重。方貌心虚，连忙俯下身来，没敢出声。

可还是晚了，已经被那三个人看到了。中间那个胖子大声喝道："呔！什么人？"

方貌一看躲不了，挥着刀就跳了出来，朝着那胖子就是一刀。那胖子虽然胖，但是身手敏捷，一个闪身，躲过了这一刀。

只见他脚底下顺势一绊，就把方貌绊了个狗啃泥。方貌一个翻身，又从地上跳了起来。他看了看那胖子，问道："你是什么人？"

"我复姓欧阳，单名一个春字。"

"啊——"方貌早知道是欧阳春，借他一百个胆子也不敢动手啊！他挥舞着单刀，练了一趟刀法，然后一转身，跑了。

欧阳春一看方貌跑了，也没有追赶，赶快过来看了看地上的朱素珍。这会儿朱素珍已经缓过气来了，一睁眼，看见了三个老头。有两个就是晚上刚刚救走的，和倪继祖在一起的。另外一个大胖子就不认识了。

·175·

这三个人正是欧阳春、翟九成和倪忠。欧阳春打定主意，要夜探霸王庄，解救倪继祖。于是半夜出来，赶往霸王庄。路上正好碰上了逃出来的翟九成和倪忠。两人把情况一说，欧阳春一听，决定还是赶往霸王庄，接应一下倪继祖。没想到，走到半路上，又碰上了方貌和朱素珍，并顺便救了朱素珍。

欧阳春让朱素珍、翟九成和倪忠先回杭州太守衙门，自己前往霸王庄搭救倪继祖。他们哪里想到，此时倪继祖已经被霸王庄的人给抓回去了。

朱素珍放了倪继祖他们，被巡夜的发现了。巡夜的一吵吵，马强也听到便起来了。他连忙派人到院子里寻找，没有找到之后，又派人到庄外寻找。结果还真把倪继祖给抓了回来。

马强一看倪继祖被抓回来了，暴跳如雷，立刻命手下把倪继祖拖出去砍了。杜勇拿着鬼头大刀就把倪继祖拖了出去。这时智化走了上来，说道：

"庄主，倪继祖他们自己是不可能从牢里逃出来的，庄里肯定有内奸。为了小心起见，我愿去助杜勇一臂之力，和他一起砍杀倪继祖。"

马强一听，觉得不错，就同意了。智化跟着杜勇就出了前厅，来到了跨院。跨院里有一口枯井，杜勇想把倪继祖杀了，顺手扔在井里，再填些土就算完了。

两人带着倪继祖来到跨院。智化说道："我们一定要杀得干净利落，在这里杀难免会弄得遍地是血，不如把他拖到井口，一刀了断。"

杜勇觉得有理，便抢先走到井口，探头往下观看。智化一看，手起刀落，就把杜勇人头砍落在井中。接着，又将他的尸首扔入井中。

正在此时，智化突然觉得脑后生风，他连忙一个低头，躲了过去。智化转身一看，面前站着个小孩。这个小孩不是别人，正是智化的徒弟艾虎。

艾虎的父亲叫艾义，是霸王庄的花匠。艾虎的母亲是马府的佣人。有一次，马强心情不好，到花园里散心。看到一束牡丹有些蔫，就问艾义是怎么回事。艾义是个老实人，就如实说是因为自己不小心，让花招了风霜。马强一听，火冒三丈，飞起一脚，正好踢在艾义的裆部。马强是练武之人，又是踢在要害，结果艾义当场身亡。艾义的老婆听到这个噩耗，悲痛欲绝，没过多久，也伤心而亡。

那时艾虎还在襁褓之中，马强原准备斩草除根，把艾虎也一并杀了。智化就出来替艾虎求情。马强的几个老婆都没有孩子，因此智化就以收艾虎为螟蛉的理由，劝马强将艾虎留下。马强开始还有些犹豫，智化又劝他艾虎还小，什么事都不知道，以后只要没有人跟他说，他也不会知道这些事情，所以大可放心。

马强觉得有理，就把艾虎留下了。后来，艾虎就跟着智化学习武艺。艾虎不仅人长得讨人喜欢，而且聪明懂事。后来，艾虎慢慢长大了一些，智化就找了个机会把以前的事都告诉了艾虎。艾虎听说自己父母的悲惨遭遇，伤心欲绝，发誓要给父母报仇。智化就对他说："你现在年纪还小，还报不了仇。将来长大了，学好武艺，再报仇也不晚。"

从此艾虎冬练三九夏练三伏，跟着智化苦学武艺。功夫不负有心人，经过几年的苦练，艾虎学成了一身的本领，十八般武艺样样精通。

刚刚艾虎看见智化和杜勇拿着刀，押着倪继祖来到了跨院，就跟了过来。黑暗中，他看见智化在井边上砍了一个人，以为智化把倪继祖给杀了。于是出手，袭击智化。

智化看是艾虎，连忙问他："你为什么要砍为师？"

"我就砍你，你不是好人！"

"我怎么不是好人了？"

"你曾经说做人要正直，要是非分明。结果你自己不但没有做到，还助纣为虐，帮助马强杀害倪大人。"

"我什么时候杀了倪大人了？"

"我刚刚明明看到的。"

"孩子，你搞错了，你过来看看。"智化说着，把艾虎拉到了井边。艾虎仔细一看，发现死的是杜勇，这才明白。艾虎很不好意思，错怪了师父，连忙赔礼道歉。智化自然不会责怪艾虎，而且现在又多了个帮手，智化高兴还来不及呢！师徒俩说得正起劲，一回头，发现倪继祖已经不见了。

# 第十七章 替天行道

这下可把智化给吓了一大跳。他往四外一望，飞身上了房顶，只见远处有一个黑影，似乎背着一个人正在飞奔。智化一看，连忙招呼艾虎，师徒俩就追了上去。

约摸追出六七里地，已经出了霸王庄了，那个黑影进了一片树林。智化领着艾虎站在树林边上，冲里面喊道：

"请问是哪条道上的朋友，让您受累了，请把人交出来吧！"

智化喊了半天，没人搭理，智化有点恼火，就准备骂两句难听的了。这时，一个人从树上跳了下来，人还没落地，肚子先落地了。不是别人，正是北侠欧阳春。

欧阳春进了霸王庄，四处寻找倪继祖，在跨院里看见了智化的所作所为。他对智化的行为十分赞赏，但对智化在那种地方教育徒弟有些不满意。那是教育徒弟的地方吗？万一被别人发现了，多么麻烦啊！于是欧阳春就把倪继祖偷了出来，并把智化和艾虎引了出来。

欧阳春把事情一说，智化很是惭愧，自己确实不应该在那种地方教育徒弟。智化回过头来，把艾虎喊了过来，把艾虎介绍给了欧阳春。

欧阳春一看这个小孩，长得虎头虎脑，十分可爱，心里很是喜欢。欧阳春自己没有结婚，也没有小孩，但他十分喜欢小孩。艾虎十分机灵，看出欧阳春喜欢自己，他也知道欧阳春是江湖上知名的侠客，于是"扑通"跪倒，对欧阳春说道：

"我从小就没有了爹妈。现在，师父有了，但从来就没有享受过天伦之乐。因此，我想拜你为义父，你若答应，我就起来，你若不答应，我就长跪不起了。"

欧阳春一看，哈哈大笑，他转过头问智化："兄弟，你看如何？"

智化忙说："老哥哥若是不嫌弃，那可是这小子几世修来的福气了。虎儿，来，快给干爹磕头。"

艾虎一听，"扑通扑通"就给欧阳春磕起头来了。欧阳春连忙将艾虎搀扶起来，将他收下。

智化见欧阳春已经收了艾虎，就问起倪继祖。欧阳春说自己把倪继祖放在了树上，这就上去将他接下来。欧阳春飞身上树，没想到倪继祖已经踪迹全无，当下也把欧阳春吓了一大跳。自己刚刚教育完别人，没想到自己也着了道了，脸上立刻有些挂不住了。

欧阳春跳了下来，高声叫骂，刚骂了没几句，从树上跳下来一个人。智化师徒一看，原来是圣手秀士冯渊。此人也是在霸王庄里混口饭吃的，平时倒也没干什么伤天害理的坏事，就是喜欢偷些东西。

冯渊跳下树来，将背在身上的倪继祖放了下来。他倒地磕头，冲着欧阳春说道：

"老侠客，你们在霸王庄的所作所为我都看到了。我一直在霸王庄里暗中保护倪大人。霸王庄为非作歹坏事做尽，我是不愿再待下去了。我决定弃暗投明，希望老侠客能够收下我这个徒弟。我一定不会给你脸上抹黑的。"

欧阳春一听，挺不乐意的，哪有一见面就要做别人徒弟的。可是架不住冯渊再三请求，才勉强答应先收他做个记名徒弟，并且提出要考察三年，三年之后视表现好坏再做打算。冯渊十分高兴，急忙答应了。

到了此时，倪继祖才算是彻底脱离了危险。欧阳春把事情安排了一下：智化、艾虎和冯渊先回霸王庄，不要暴露身份，留做内应；自己保护倪继祖先回杭州太守府衙，调集重兵，攻打霸王庄。

众人点头称好，便分头行动了。

欧阳春护送倪继祖回到了衙门，见到了等候在那里的朱素珍、翟九成和倪忠。倪继祖首先命令手下把朱焕章从牢里放了出来。朱氏父女重逢，喜极而泣，对倪继祖千恩万谢，方才离去。

送走了朱氏父女，倪继祖传令升堂，派遣五千军兵，去抄霸王庄。这五千军兵就由欧阳春统一指挥。欧阳春带着这五千军兵来到了霸王庄外，他命兵士将霸王庄团团围住，自己先蹿进了庄内。

马强派人去杀倪继祖，结果杜勇却被杀了，智化和倪继祖都不见了。马强心里就感觉不妙，他连忙跑到了霸王庄内的英雄馆里。

马强为了壮大势力，在庄内修了个英雄馆，专门招募那些江洋大盗飞贼流寇，共有好几百人。最近，馆内又来了一批恶人，正是以邓家堡神手大圣铁臂猿猴邓车为首的那群流寇。自邓家堡被众位英雄给抄了后，这帮人就四处流窜，最后就跑到霸王庄来混吃混喝了。

马强跑进了英雄馆，把这帮恶人都招集了起来，将这几天发生的事说了一遍。最后交待：养兵千日，用兵一时。用你们的时候到了，希望大家都能竭尽全力，共度难关。那伙恶人平时吃香的喝辣的，此时嘴上自然都捡好听的说，什么上刀山下火海，什么两肋插刀肝胆相照，什么感人说什么。马强听了，心里多少有些宽慰，立刻设宴款待大家。他自己回到了内宅。

·181·

进了屋，马强上了床，但是怎么都睡不着。躺了一会儿，就听到外面有人敲门。马强问道："谁啊？"

"我。"

"你是谁啊？"

"你开开门不就知道了？"

马强气呼呼地下了床，把门打开。门刚开，一个大肚子就进来了。来的不是别人，正是欧阳春。马强不认识欧阳春，问道："你是谁啊，怎么半夜闯了进来？"

"我复姓欧阳单字一个春，人称北侠紫髯伯。"

马强一听，腿当时就软了。等他回过神来，转身去拿墙上的刀时，欧阳春已经一脚把他踏在了地上。马强立刻叫唤开了，欧阳春顺手撕了块布，就把他的嘴给堵上了，又把他捆了个结结实实。然后，欧阳春背着马强，就出了霸王庄。他把马强交给外面的军兵，自己又进了霸王庄。

欧阳春在马府里转了转，就来到英雄馆前，仔细一看，群贼正在里面大吃大喝。欧阳春抖丹田猛然喝道："尔等小贼，还不快快出来受死！"

邓车坐在门口，第一个出来了，一看是欧阳春，魂都吓没了，高声喊道：

"不得了了，欧阳春来了，快跑啊！"

群贼一听，"哗啦啦"就散开了，东躲西藏，有上房的，有跳墙的，乱作一团。

北侠见他们乱了阵脚，就把信号弹拿了出来，点燃放出。外面的官兵一看信号，如同猛虎下山一般，"哗"地就涌入了庄内。本来那些贼人就慌不择路，现在一看这么多官兵涌入，更是无心抵抗。而且马强已经被抓住了，这些人谁还愿意抵抗啊！他们便各奔东西了。

邓车带着手下三十多名死党，杀出重围，逃离了霸王庄。一直朝东跑了七八里路，看看后面没有人追上来，才停下来歇息一下。手下有的人就七嘴八舌议论开了，都说这次输得太窝囊了。欧阳春一嗓子，大家就跑成了这样，实在太丢人了。

邓车也不是个滋味，他坐在那里，想了想，想出了一条计策。他同群贼一说，群贼不禁都来了精神。

欧阳春带着军兵，破了霸王庄。他指挥人马，抄了霸王庄，将东西都入库，等候官府处置。然后押着马强，回师杭州。

第二天晚上，邓车带着手下，来到了霸王庄外。他对手下说道：

"等会儿大家先把脸都用泥涂黑。这次进了霸王庄，见人就杀，见东西就抢，而且还要说是欧阳春派来的。大家都听明白了吗？"

杀人放火是这些人的强项，哪里还用教。他们在邓车的带领下，就冲进了霸王庄。这伙人如同恶狼一般，见人就杀，见东西就抢。一边杀，一边还喊：

"我们都是欧阳春手下的差人，是奉了倪太守之命，到此来抢东西的。"

那一夜，他们杀了霸王庄三十多人，抢了白银三十六万两，珍贵衣物一千余件；金银首饰不计其数。然后他们就在邓车的带领下，离开了霸王庄，投奔襄阳王而去了。

这下可把郭大奶奶给气坏了，她心想：倪继祖啊倪继祖，你们表面上封存库房，暗地里来抢劫，比强盗还不如，我非要把你告上朝廷不可！她命人清点了损失，写了一封书信，交给了总管马尽忠。让他快马加鞭，赶到京城，把信交给马朝贤，让他为霸王庄报仇。

马尽忠日夜兼程，赶到东京。他找到了马朝贤，将书信交给了他。马朝贤看罢书信，火冒三丈，心说：倪继祖啊倪继祖，此仇不保，我誓不为人。接着，他就琢磨开了，怎么才能让皇上知道此事呢？

正在这时，小太监前来送信，说皇上找他。

马朝贤收拾完毕，就跟着小太监去见皇上了。到了翠云殿，马朝贤连忙跪倒，给皇上请安。其实皇上找他也没什么事，就是找他下棋。马朝贤棋下得不错，因此都是他陪皇上下棋。马朝贤便跪在皇上对面，陪皇上下起棋来。

下了没几步，马朝贤就走错了棋子，他把象飞过了河。四帝仁宗不禁大为奇怪，这种低级错误马朝贤是不应该犯的。四帝说道：

"爱卿，你的象怎么飞到我这边来了？刚才，朕就看你心神不定。怎么，不想陪朕下棋？"

马朝贤连忙磕头，说道："奴才不敢，奴才不敢。都怪我心中惦记着家中之事，才走错了棋。"

"你家中发生何事，让你如此心绪不宁？说给朕听听。"

"皇上，你可要为奴才做主啊！"马朝贤便把霸王庄的事情经过说了一遍。最后，还把那封信，也就是损失清单递了上去。

四帝看罢，不禁勃然大怒。他立刻传令升殿。金钟响过三声，文武百官都已来到金殿，分班站列两旁。四帝坐在上面，把倪继祖抄抢霸王庄的事说了一遍。文武百官听了之后，都觉得十分诧异。倪继祖是新科榜眼，又是包大人的徒弟，他刚刚上任到杭州，怎么会做出如此胆大妄为的事情来？提督府的铁帽子王爷岳横第一个站了出来，他大声说道：

"陛下，你说倪继祖做出这等胡作非为之事，可有证据？若没证据，怎么能信口开河？"

四帝一向就不太喜欢岳横，因为岳横脾气火爆，说话又不分场合，经常顶撞自己。但碍于他是开国元勋三朝元老，总要给他留些情面。今天看他又出头顶撞自己，四帝心里十分不高兴，他把郭大奶奶的信扔在了岳横面前，一拍龙案，喝道：

"大胆，你怎么知道朕没有证据，是信口开河？"

岳横接过信件，气得哇哇大叫。他倒不是因为看懂了上面的内容，因为他不识字，根本就不知道上面写了些什么。他是看到马家果然写下御状来告倪继祖，所以生气。因为他知道倪继祖的为人，绝对不会做这样的事情，一定是被马家陷害。

岳横虽然是个粗人，但不笨。他知道现在和皇上硬顶，对自己，对倪继祖都没有好处。于是岳横一施礼，说道：

"万岁，既然现在有人写了状子，告倪继祖，微臣觉得就应该将此事查个水落石出。我建议将原告被告一并带到京城，来个龙楼御审，便知真相。微臣不才，愿领旨奔赴杭州，将倪、马两家都带到京城。"

群臣一听，纷纷点头称是。皇上也觉得有理，就批准了。

岳横领旨，回到自己府中，立刻吩咐手下岳山前往杭州拿人。岳山是岳横的亲侄子，行事格外认真，立刻点了五百人马，赶赴杭州。

不日，岳山就来到了杭州。此事早已传到杭州，倪继祖带领八班人役，摆设香案，跪倒接旨。岳山宣读圣旨，将倪继祖官服扒掉，官帽除掉。又将马强从大牢中提出，就要带着二人回京。

这时，杭州城的老百姓听说了此事，都不乐意了。他们自发组织起来，把太守府团团围住，不让带走倪大人。岳山一看这架势，有点意料之外，不好动武驱赶。但不来硬的，又无法开拨。一时之间，急得手足无措了。后来岳山想了个办法，他扒上太守府的墙头，冲着围在外面的老百姓高声喊道：

"众位乡亲，请听我说。"

老百姓一看他把脑袋伸出来了，呵斥道："有话快讲，有屁快放！"

"众位乡亲父老们，我是奉旨前来，迫不得已。霸王庄的老马家告了御状，万岁要龙楼御审。倪继祖是被告，所以一定要进京受审的。请大家放心，当今皇上英明公正，一定会给倪继祖一个公道。到时，再让倪继祖回杭州任职，你们看如何？"

众人一听，想想也对。现在不让他们走，也不是个解决问题的办法。干脆，大家联名写御状，去保倪继祖吧。众人这才闪开一条道，放了岳山和他的人马。

岳山连忙带领人马，马不停蹄赶回京城。到了京城，他先把倪继祖、马强押到岳府，然后向岳横禀告。

岳横一听人已带到，立刻传令点鼓升厅。倪继祖首先被带到了大厅。他见了干爹，心里这个难过啊！如果不是因为现在身份特殊，就要扑上去痛诉委屈。倪继祖跪倒磕头，冲岳横行了礼。

岳横一看倪继祖，连忙吩咐手下看座。他不是包大人，才不管这一套呢，倪继祖坐下了，岳横便问起了事情经过。倪继祖把前因后果都说了一遍，并特别强调，欧阳春不是什么江洋大盗，而是见义勇为的侠义之士。岳横听罢，表示自会给倪继祖做主，让倪继祖先下去休息了。然后，又传马强。

时候不大，马强来到大厅。岳横一看马强，就不舒服。这小子长得贼眉鼠眼一脸横肉，让人恶心。马强本来还以为命已休矣，后来又被押解进京，心中明白，肯定是自己的老爷子马朝贤得知此事，在皇上面前参了一本，看来这次有救了。所以马强上了堂来，也不在乎，大摇大摆，既不跪倒也不磕头。

岳横一看他如此猖狂，气就不打一处来。岳横问道：

"你叫何名？"

"小人马强。"

"四肢库的总管马朝贤，是你什么人？"

"我的叔父。"

"我问你，倪继祖怎么得罪你了？"

"回王爷的话，倪继祖到任之后，便到我霸王庄勒索钱物，张嘴就要十万两白银。小人我负担不起，他就勾结江洋大盗欧阳春，陷害于我，将我抓入大牢，又洗劫了我的霸王庄。请王爷为小人做主。"

"马强，他们抓你的时候，你在哪里？"

"我在床上睡觉。"

"把你抓到何处？"

"把我抓到庄外。"

"那之后，你见过家里人没有？"

"没有，谁都没有见到。"

"既然如此，府中发生的事，你怎会知道？"

马强一听，吓出了一身冷汗。他没想到百密一疏，编了半天的词，岳横一句话就问出了破绽。马强支支吾吾说道："我……我是听人说的。"

"听谁说的，快快招来！"

马强一听，哑口无言。岳横一看，一拍桌子，大声喝道："大胆刁民，竟敢戏弄本官，编造证词。来啊，给我大刑伺候。拉下去，重打四十大棍。"

衙役接令，把马强拖了下去，这通打啊！打完之后，马强已经遍体鳞伤，话都说不全了。衙役把马强又拖回大厅，岳横说道：

"现在知道了吗？无论什么时候，也不能信口雌黄，张嘴胡说。如果胆敢血口喷人，小心你的狗头！"

马强连连应道："不敢不敢。"

岳横出了口恶气，这才命人将马强押了下去。

第二天一早，岳横赶奔八宝金殿，将捉拿倪继祖、马强一事奏与了四帝仁宗。仁宗一听，连忙传令：

"将他二人带到，朕要龙楼御审！"

# 第十八章 绝后妙计

　　皇上说要龙楼御审，其实并不是自己亲自审问，而是委派几个大臣，代为审问。这次，皇上派的是大理寺正堂文颜博，刑部正堂杜文辉，都察院史范仲禹，枢密院掌院颜查散，户部尚书兼三法司正堂李天祥，五军提督府铁帽子王爷岳横，由这六位审理倪、马一案。其中，文颜博为主审。此人是大理寺正堂，而且他的妹妹是皇上的妃子，身份不同一般。文颜博为官清廉，办事公正认真，深受爱戴。

　　文颜博领下圣旨，就带着其他五人，来到了大理寺。倪继祖和马强也被押解到了大理寺，入牢收监。

　　这六个人里面，户部尚书兼三法司正堂李天祥不是好东西，是个十足的贪官。他是两榜进士出身，也是三朝元老，在皇上面前说一不二。马朝贤得到消息后，先来到大理寺监牢，见了马强，串了口供。然后，又连夜拜访了李天祥。马朝贤到了李府，开门见山，表明来意。随后，又递上了一份礼单。李天祥拿过来一看，眼睛就是一亮，上面写着万两白银千两黄金，珠宝古玩不计其数。

李天祥是个贪得无厌的家伙，一见这份厚礼，眼都笑没了，对马朝贤的请求一口应承下来。马朝贤见目的达到，便告辞回去了。

第二天一大早，文颜博就同岳横、范仲禹、颜查散、杜文辉、李天祥一起在大理寺点鼓升堂。皇上的圣旨放在中间，表示皇上也到了。六名官员，一边三个，分坐左右。文颜博是主审，李天祥是第一陪审。

众人坐稳了身子，文颜博吩咐左右，将倪继祖带了上来。

倪继祖上了堂，首先跪倒磕头，拜了圣旨，然后又依次向各位大人行礼。文颜博问道：

"你叫什么名字啊？"

"倪继祖。"

"原籍——"

"杭州人氏。"

"倪继祖，有人告你勾结江洋大盗欧阳春，夜袭霸王庄，杀人放火，抢劫财物，还把马强抓进大牢，定成死罪。可有此事？"

"青天大老爷在上，我冤枉啊！"

"你有何冤情，还不快快讲来。"

倪继祖就把事情经过诉说了一遍。说完之后，笔录也已做好，倪继祖又在上面签字画押。这时，李天祥高声喝道：

"倪继祖，你可真能胡编乱造啊！真不愧是两榜进士，才高八斗学富五车，说得跟真的一样。你还不快快招来，你是如何勒索马强钱财，又是如何勾结江洋大盗欧阳春的，后来又是如何陷害马强，怎样血洗霸王庄的，快讲！"

"大人，此乃别人诬告，我冤枉啊！"

"冤枉？我看你是不见棺材不落泪。来啊，给我大刑伺候！"

旁边几位一听，都不禁一愣。还没问过原告口供，无从对证，怎么就动刑了呢？万一屈打成招，岂不冤枉好人。但碍于面子，也不便开口阻拦。岳横可不管这些，他高声喝道：

"倪继祖，你过来。"

倪继祖就跪在地上，爬了过去。

"倪继祖，你刚才所言，是否句句属实？"

"回大人，我刚才之言，字字属实。"

"好吧。来人呀，把倪继祖先带下去。"

李天祥一听，脸都气红了：这不是不给老夫面子吗？我是第一陪审，别人都没说话，你说什么话！他质问岳横："岳大人，你这是何意？"

"李天祥，少来这套。我问你，昨天晚上你干什么去了？"岳横这句话只是随口一说，诈一诈李天祥。其实他并不知道马朝贤送礼的事，只是根据李天祥和马朝贤的为人，估计马朝贤肯定要送礼。没想到，还真给他猜对了。

李天祥一听，鼻子上立刻就冒汗了。他还以为岳横知道昨天晚上的事了，愣在那里一个劲儿琢磨。这一愣神，倪继祖就被带了下去。随后，马强又被带了上来。

马强昨天晚上挨了四十军棍，今天可老实多了。见了圣旨和几位大人，磕头不止。文颜博让他抬起头来，把事情的经过说一遍。马强就把和马朝贤串好的词说了一遍。做笔录的也做好了笔录，马强签了字画了押。随后，马强也被带下，关入牢房。

几位大人就商议，不论原告被告都提到了欧阳春，看来欧阳春是此案的关键。最后，大家一致决定，禀明皇上，请皇上传旨，将欧阳春缉捕归案，此案才可真相大白。

次日，大家奏明了皇上。皇上一听，也觉得有理。就把这事交给了锦毛鼠白玉堂，让他去杭州，把欧阳春捉拿归案。

白玉堂领旨下殿，心里特别得意。皇上别人都不用，单单用我来完成此事，足见对我的重视。现在，我也成了钦差大人了。白玉堂洋洋得意回到了开封府，把事情禀告了包大人。

包大人嘱咐他小心行事，早早动身。随后，设宴为他饯行。席中，蒋平说话了：

"五弟，你打算如何捉拿北侠客啊？"

"到了杭州，找到欧阳春，带枷上铐，把他抓回东京。"

"千万不可。北侠客乃是一世英雄，你千万不能如此对他。为兄倒有个想法，不知你愿不愿意听。"

"四哥请讲，小弟洗耳恭听。"

"依我之见，欧阳春担心倪继祖的安危，一定没有离开杭州。你到了杭州，多写几张条子，上书'欧阳春老哥哥，我白玉堂来了，住在某处，请您老人家光临'，贴在闹市区。他看到条子，自然会主动找你。到时你对他说明情由，他为救倪大人，一定会跟你进京。切记，不要以钦差大人自居，武力压人。否则，十个白玉堂也带不回一个欧阳春。"

大家一听，都说这主意高明。但白玉堂太骄傲了，心里不服。不过他嘴上也不好说什么，点头答应了。

吃完酒席，白玉堂带着白福就上路了。一路无话，来到了杭州。白玉堂找了家客店住下了。收拾完毕，白玉堂和伙计聊了聊。没想到，伙计说那欧阳春经常到这个店子里来，和老板聊天。白玉堂心里挺高兴：看来不费什么事就能完成任务了。吃过了饭，白玉堂让白福在店里等着欧阳春，自己上街上去溜达溜达，顺便也找找欧阳春。

　　杭州城里非常繁华，大街上人来人往，热闹非凡。白玉堂在街上转来转去，看见街角有一群人正在围观看几个人卖艺，便凑了过去。突然他发现人群中有一个大胖子。这胖子足有二百多斤，腆着大肚子，在那儿看得乐呵呵的。白玉堂一看，急忙跑上前去，一把就抓住了那人的衣领，说道：

　　"欧阳春，你还往哪里走！"说罢，飞起一脚，把那人踢倒在地。

　　周围的人一看他们俩打起来了，"呼啦"都围了过来。被打倒的那人，好不容易从地上爬了起来，冲着白玉堂说道：

　　"你是谁啊？为什么无缘无故打人啊！"

　　白玉堂一听，知道自己认错人了。如果是欧阳春，哪能这么容易就被放倒。他连忙向那个人道歉。正在此时，白福跑来了，说道：

　　"五爷，你怎么在这里啊，快回去吧，欧阳春来了！"

　　白玉堂一听，也顾不上那人了，跟着白福就跑回了客店。

　　白玉堂还没有进屋呢，就听见里面一个响亮的声音传出："五弟怎么才来，我已恭候多时了！"随着话音，一个大紫胖子从屋子里走了出来。白玉堂一看，这次肯定不会错了，连忙施礼问安。

　　两人携手走进屋里，都落了座。一阵寒暄过后，欧阳春问道：

　　"兄弟，这是从哪里来啊？"

　　"东京。"

　　"此次来杭州有何贵干？"

"抓人。"

"抓谁啊？"

"老哥哥，你怎么明知故问啊，我来抓的就是你啊！"

"抓我，为什么要抓我啊？"

"我是奉了皇上的旨意，前来捉拿你的。有人告你帮助倪太守，夜袭霸王庄，抢夺财物，杀人放火。现在倪继祖和马强都被带到了京城。一个说你是好人，一个说你是强盗，争执不下，因此不能结案。老哥哥，你跟我走吧，皇上还等着呢！"

"哈哈哈！"欧阳春突然放声大笑，说道，"兄弟，对不起，这事我可不能答应你。我帮助倪大人铲除地方恶霸，所作所为，无愧于天地。什么杀人放火，什么抢夺财物，都是无稽之谈。朝廷也不能不问青红皂白，无故抓人啊！兄弟，对不起了，这次你要白来一趟了。"

"这么说，你要抗旨拒捕了？"

"我还有些事情，先告辞了。"欧阳春一看话已不投机，转身就要往外走。

"且慢。你要走可以，先问问我手中的这把刀同不同意。"

"怎么，你要来硬的？好吧，我就陪你练练。"

白玉堂把门帘一挑，就和欧阳春一起走到了院中。

客店里的人听说欧阳春要和白玉堂比武，都跑了过来。一时间，围了好多的人在旁边看热闹。

欧阳春一伸手，做了个请的动作。白玉堂也不客气，摆了个起手势，就扑上来了。两人就此战在一起。欧阳春还是和往常一样，开始让三招。白玉堂不管那么多，拳风如虎，踢腿如弓，招招直逼欧阳春要害。前三招一过，欧阳春开始出招反击了。其实白玉堂的功夫真是不错，但搁在欧阳春面前就差了一大截了。十几个照面过后，欧阳春对白玉堂的能耐也就摸得差不离了。他决定还是继续和白玉堂打下去，一来，看看白玉堂还有什么能耐，二来，当着这么多人的面，这么快就把他打倒，怕白玉堂脸上挂不住。

两人打了六十多个回合，欧阳春使了个虚招，让过白玉堂的拳头，就势绕到白玉堂的身后，冲着他的后脊梁上一戳，白玉堂就不能动了，这是给点了穴。白玉堂心里清楚，可是没有任何办法，身体一点也动不了。

欧阳春一推白玉堂的身体，顺手把白玉堂的穴位给解了。白玉堂"噔噔噔"退出去五六步，方才站稳。白玉堂的脸立刻就红得跟柿子一样了。旁边围观的人不知道发生了什么，看见两人打了半天都挺精彩的，怎么最后老头一推小伙子就结束了，有些莫名其妙，便哄然散去了。

白玉堂羞愧难当，冲欧阳春一抱拳，说了句"后会有期"，便转身回屋了。

坐在屋子里，白玉堂越想越羞愧，如果当初听了四哥的，事情可能早就解决了。现在可好，皇上交代的事情没办成，还把人给丢了。自己的武艺和人家欧阳春实在是不能比，差的不是一点半点，要不是人家让着自己，自己早就输了。白玉堂想来想去，最后，他把白福给支走了，自己拿了根带子，系在房梁上，就准备上吊自尽了。

刚把脖子放进绳套里，带子就断了。白玉堂一回头，原来是欧阳春，正站在门口呢。欧阳春笑呵呵地说道：

"怎么锦毛鼠学会上吊了！"

白玉堂一看，惭愧地把头低了下去，小声说道："老哥哥，对不起，我没脸再见人了。"

"这是什么话啊！咱们哥俩切磋一下武艺,分个输赢算什么啊！兄弟,咱们来说说正事吧。我们还是坐下来,商量商量怎么救倪大人吧。"

"老哥哥,你说吧,你说怎么办,我就怎么办。"

欧阳春想了片刻,说道:"我看不如这样吧。我呢,先去茉花村,你随后过来,到那里请我。到那时,我们再找几个中间人,给我个面子。这样,表面上是你来请我,实际上是我跟你走。你看这样如何?"

白玉堂一听,连声赞好。于是两人约定,欧阳春立刻动身前往茉花村,两天之后,白玉堂也赶往茉花村。

两天之后,白玉堂来到茉花村。丁氏双侠十分高兴,出来迎接他。欧阳春也出来接他。白玉堂一看,后面还跟着两人。一个是俊俏小伙,收拾得干净利落,另一个是个虎头虎脑的小孩,长得十分讨喜。白玉堂不认识,欧阳春连忙给双方引见。原来这二人正是黑妖狐智化和小义士艾虎。

白玉堂早就听说过黑妖狐智化的大名,急忙施礼相见。智化又把艾虎介绍给了白玉堂。白玉堂自然也是十分喜欢。谈笑间,众人进了茉花村。丁兆兰吩咐下人设宴款待各位英雄。席间,白玉堂把事情前后经过又详细叙述了一遍,众人这才了解清楚。

住了一日,白玉堂便带着欧阳春回了东京。众人送走了他们,心情都比较沉重。他们都很担心老侠客欧阳春的安危,此去东京凶多吉少啊!智化对大家说道:

"各位,我想了一条计策。如果能够成功,可以将马朝贤、马强上上下下一网打尽,斩草除根,是一条绝后计。"

"说来听听。"

"马朝贤是四肢库的大总管，专门替皇上保管贵重物品。如果我潜入皇宫，随便偷出一样东西，放入霸王庄，就说他监守自盗。到时候，他肯定会被满门抄斩的。这样一来，不仅官司我们打赢了，还可以把他的余党全部除掉。你们看，如何？"

大家一听，都拍手称好。当下，大家商量了细节。智化负责到四肢库里偷东西；丁兆蕙负责把东西藏到霸王庄内；艾虎负责告发；丁兆兰留在家中接应各方。

方案商定后，事不宜迟，智化先走一步。他化了化装，便直奔东京而去。

一路无话。这一天，智化来到了京城。只见京城里热闹非凡，处处张灯结彩，人人笑逐颜开。一打听，才知道明天就是皇后的寿诞之日。皇上传下旨意，各衙门放假半个月，为正宫娘娘祝寿。可以说整个开封都在为娘娘祝寿做准备。所以，欧阳春现在也被押在大理寺，还没过堂呢。

智化溜达着就来到了开封府外，徘徊了一会儿，就看见蒋平、韩彰、卢方、白玉堂等人从府里出来。蒋平眼尖，看到了智化。他是多机灵的人啊，一看智化化装成一个难民，知道必有深意。他冲智化使了个眼神，就进了一条挺僻静的小胡同。

智化跟着他进去了。蒋平见四下里无人，就问道："兄弟，你怎么这副打扮来逛京城啊？哈哈哈哈！"

智化也被蒋平逗乐了，不过他没有时间说笑，问道："四哥，欧阳老侠客现在如何？"

"在大理寺押着呢。除了不能出来，什么都和在外面一样，好着呢！"

说话间，卢方他们也都进来了。智化和众人一一见面施礼之后，便把自己想的绝后计告诉了大家。蒋平一听，就乐了，连声赞好。众人也都觉得此计甚好，只是进皇宫里面偷东西，非常危险，都让智化多加小心。智化让众人放心，然后就和大家告辞，先出了胡同。

智化出来之后，就琢磨着怎么才能进皇宫。走着走着，来到了皇宫的一个偏门，看见门口围了好多人，都是些和自己穿着打扮差不多的难民。智化就凑了上去，一打听才知道。原来皇宫内的御花园正在大兴土木，扩大福海，现在紧缺劳力，所以在这里招募难民干苦力。

智化一听，心说这可是个千载难逢的好机会啊！他立刻报了名。负责招人的太监一看智化长得还挺结实，就把他收了。就这样，智化进了皇宫。

进去之后，工头把智化领到工地上，让他登记了名字，又告诉了他做哪些活，住在哪里，一个月领多少银子。智化连连点头，接过家伙，就开始干活了。

智化干活格外卖力，人家挑一趟，他挑三趟。其他的民工都在心里骂他：你这么干，不是让我们难看吗？但智化不管这些，他的目的是要找到四肢库的位置。因此他在皇宫里穿门过院，干得可起劲了。就这样干了一天，智化把四肢库的大概位置就摸的差不多了。

转眼到了晚上。大家干了一天的活，都累得不行，都躺在工棚里呼呼大睡。智化偷偷爬了起来，换好夜行衣，带上各种装备，悄悄离开了工棚，直奔四肢库方向而去。

皇宫晚上戒备非常森严，三步一岗，五步一哨，但这也难不倒智化。智化施展飞檐走壁的功夫，不一会儿，就来到了四肢库大院。院子中空无一人，非常空旷。院子当中一座大楼，上边有块大匾，上书"四肢库"三个大字。

　　智化一个旱地拨葱，就上了房顶。他小心翼翼地踩着琉璃瓦，来到了后坡，慢慢伏下身来。智化从百宝囊中取出小钩子、小锯子、小板子、小铲子等工具，就在屋顶上忙活开了。

　　他先撬开了九块琉璃瓦，在房顶上开了个天窗。然后他把这九块琉璃瓦都做上了记号，放在了一边。瓦的下面是一层厚土，智化把上衣脱下，铺在旁边，然后把土都捧在了衣服上。下面是椽子，智化揭起几根椽子，就露出了房梁。智化在椽子上挂好飞抓，把另一头系在自己的腰上，点了个火折，就下去了。

　　四肢库非常高，里面黑乎乎的，智化下降了半天才到了底。智化把火折换成了蜡烛，就往四下里踅摸。地上的尘土都积了一寸多厚了，一踩上去，就扬起一片尘土。屋子正中央有一张桌子，上面放着个盒子，盒子里有个本子。智化翻开本子一看，上面记载的是四肢库里所有藏品的名称和存放地点。智化翻了翻，就来到"天字一号"柜前。

　　"天字一号"柜高有一丈五，宽有八尺，红木制造，上面挂锁，还贴着封条。智化先把尘土吹落，又用万能钥匙将锁打开。接着，取出一瓶酒，喝一口，然后将封条喷湿，再轻轻揭下。最后，才将柜门打开。

　　柜子中放了不少宝贝，智化翻了翻，发现了一顶宋太祖赵匡胤曾经戴过的帽子。估摸着这顶帽子足够将马朝贤害得满门抄斩万劫不复了，智化把帽子装在了身上，把柜子再依照原样关上锁好。然后，将地上的脚印扫去，攀着飞抓，出了四肢库。到了屋顶，智化小心翼翼将飞抓收起，椽子上好，泥土盖上，琉璃瓦复原。一切都整理得和没动过一样，然后，智化回了工棚。那些工人们还在呼呼大睡呢！

　　智化打了个盹，天就亮了。智化向工头告了个假，就离开了皇宫。他按照事前约定好的，来到了五虎店，丁兆蕙和艾虎正在那里等着呢。智化把龙冠交给了丁兆蕙，说道：

　　"事不宜迟，你快快动身，把龙冠安放在霸王庄内吧。"

　　"好，我马上动身。不过——放在什么地方好呢？"

　　"放在大佛肚子里吧。"艾虎插了一句。智化一听，也觉得非常好。

　　霸王庄内有一座佛楼，楼内有尊大佛。大佛的肚子是空心的，马强把房产、地契等贵重物品都藏在了里面。把龙冠放在那里，又安全又合理。

　　三人商量妥当，丁兆蕙就带着龙冠离开了东京，赶奔霸王庄。

　　丁兆蕙来到霸王庄，深夜潜入，将龙冠放在了大佛的肚子里。然后，他就在此日夜守候，一直要等到艾虎告了御状，皇上派人来起赃为止。

# 第十九章 恶有恶报

丁兆蕙走了以后，智化和艾虎就准备拦轿伸冤，状告马朝贤了。拦谁的轿？自然是拦包大人的轿。智化已经想好了全套的词，他仔仔细细地教给了艾虎。艾虎非常聪明，很快就学会了。然后，他又重复了一遍。智化一看，万无一失了，这才放心。

过了两天，正宫娘娘的寿诞已过，各个衙门都开始照常工作。智化领着艾虎，守在金殿附近的十字大街，专等包大人下朝回来。

时候不大，前面传来铜锣开道的声音，包大人的轿子要来了。艾虎在旁边等着，看到包大人的轿子一出现，就扯开嗓门大声喊了起来：

"冤枉啊！冤——枉——啊！"

这一嗓子，满大街的人都听了个真真切切清清楚楚。包大人自然也听到了，他吩咐停轿。整个轿队都停了下来。张龙、赵虎把艾虎带到了包大人的面前。包大人一看，是个小孩，就问道："小娃娃，你叫什么名字？"

"我叫艾虎。"

"哪里人氏？"

"杭州霸王庄。"

"你有什么冤情，但讲无妨。"

"回大人，我没有冤情，是我家大爷有冤情。"

"你家大爷是谁？"

"霸王庄的马强。"

"你是他什么人？"

"我是他的书童。"

包大人一听，心中就是一动。倪、马之案已经惊动了皇上，此时有个小孩来喊冤，里面定有隐情。包大人一挥手，吩咐手下将艾虎带上，先回开封府。

卢方、韩璋、蒋平他们一看艾虎拦轿喊冤，知道事情进展得很顺利，心中暗自高兴。但包大人不明究里，回到开封府后，把艾虎召到了二堂。

开封府审案都是公开的，但此事事关重大，所以包大人才升起了二堂，不对外公开。艾虎被带进了二堂。他看见包大人正坐在中间的桌子后面，表情严肃，不怒自威，连忙跪倒磕头。包大人厉声问道：

"艾虎，你快将你家老爷的冤情如实报来。"

"三年前，我们家老太爷马朝贤回乡省亲。除了带回来很多土特产，还带回来一顶帽子。当时我就在我家老爷的屋中，老太爷原来是想将我支出去，老爷说我是他干儿子，不必介意，我才留了下来。那老太爷从包裹中取出一顶帽子，那帽子可漂亮了，上面尽是好看的珠子。我听老太爷说，这叫珍珠闹龙冠，是皇上戴的。老太爷还对我家老爷说，'你把它保存好，将来，有朝一日登基做了皇上，就可以戴它了。另外，我那里还有袍子、靴子什么的，有时间我慢慢都给拿回来'。我家老爷十分高兴，就把帽子藏在了我家庄内大佛楼中的大佛肚子里了。"

"你怎么知道这么清楚的？"

"我家老爷放东西的时候，是我领着去的。"

"这是三年前发生的事，你当时为什么不说呢？"

"大人，我今年十四岁，当时我才十一岁。一个十一岁的孩子能懂什么啊？"

"那你为什么现在跑来说了？"

"霸王庄被官兵抄了之后，我和我二舅都十分担心，怕以后就没有吃饭的地方了。当时倪大人的官兵并不知道大佛肚子里装着宝贝，所以没有发现帽子。我就对二舅说，'没有关系，实在不行，我们就把大佛肚子里的帽子拿出去卖了，也能卖不少钱呢！'二舅就问我是什么帽子，我就把事情说了一遍。二舅一听，吓得浑身哆嗦，他要我不要跟任何人说这件事，他还说，'孩子，你可千万不要胡说八道，如果真如你所言，那马朝贤就是监守自盗了，是要满门抄斩的。到时你也跑不了干系。'我一听，就傻眼了，就问他怎么办，他说让我立刻到东京禀告皇上，到时皇上念我揭发有功，兴许就会饶了我。除此之外，别无他法。"

"那你的二舅现在何处？"

"二舅刚刚和我说完这些话，第二天就得了暴病死了。"

"现埋在何处？"

"本来是想埋的，可是我又没什么钱，就把他火化了。"

"那骨灰呢？"

"骨灰就放在家中，挂在梁上。后来有天晚上来了个毛贼，以为是值钱的东西，给偷走了。"

蒋平站在下面，一听这套词，差点没乐出来，心说：智化你可真能编啊！连骨灰都找不到了，真是天衣无缝啊！

包大人不是三岁小孩，听了艾虎这番话，心中也是疑窦丛生。因为艾虎说得太流利，事情也太完美了。往往太像真的事情，反而不是真的事情。但包大人想来想去，也想不出什么破绽。包大人又问了几遍，艾虎翻来覆去就是这套词。包大人也没有办法，让艾虎签字画供，就退堂了。

第二天，包大人来到宫里上朝，把这件事禀告给了老公公陈琳。他倒没有直接说马朝贤监守自盗，在没有充足证据的前提下，包大人不能信口开河。他只是告诉陈琳四肢库失窃了。陈琳一听，也是大吃了一惊。在朝上，他奏请皇上，要清查四肢库。四帝也没有多想，就准奏了。

·203·

下朝后，陈琳捧着圣旨，到各库清查。别的库都是走马观花，到了四肢库，马朝贤早已在那里等候了。马朝贤把清单交给陈琳，打开库门，请陈琳检查。屋子里铺满了尘土，根本就看不出有人来过。陈琳按照清单，依次检查，查着查着，查到了"天字一号"柜。陈琳翻开装珍珠闹龙冠的盒子一看，里面空空如也，立刻把脸沉了下来，说道："哎，龙冠呢？"

"这——"马朝贤一看，顿时傻了眼。

陈琳心中有数，哈哈笑道：

"马朝贤，你监守自盗，还有什么好说的，等着听参吧！"说罢，陈琳扬长而去，留下马朝贤站在那里发呆。

陈琳赶到金銮宝殿，把查库的经过禀告给了四帝仁宗。仁宗一听，大惊失色：

"什么？把先王的珍珠闹龙冠给弄丢了？这还得了，快，传马朝贤上殿。"

马朝贤来到金殿，"扑通"便跪倒在地。他浑身抖得如筛糠一般，哆哆嗦嗦地说道：

"皇上，奴才冤枉啊！"

四帝大怒，喝道：

"马朝贤，你冤在何处？"

"皇上，奴才自从负责四肢库以来，小心谨慎，尽心尽力，从来没有丢过东西。奴才确实不知道那龙冠是怎么丢的，还望万岁明察。"

陈琳一听，启奏道："万岁。我去查四肢库，那库门紧锁，封条未启，钥匙只掌管在马朝贤一人手中，如果不是他监守自盗，又有谁能够将龙冠偷出？望万岁立案深查。"

仁宗一听有理，立刻传令将马朝贤押往大理寺，准备七堂会审。

这下，事情可闹大了。消息很快传开了，开封府的众位英雄一听，都乐得跟什么似的，都竖大拇指称赞智化这事办得好。惟独蒋平没有乐，他说道：

"智化此计固然高明，但也有疏漏。"

众人一听，纷纷问哪里有疏漏。蒋平继续说道：

"七堂会审时，一定会让艾虎上去作证。到时人家咬定不认识艾虎，那可怎么办？"

大伙儿一听，觉得有理，便把艾虎找来了。一问艾虎，艾虎确实没有见过马朝贤。蒋平问道：

"你没见过马朝贤，到时在堂上作证，你能认出他来吗？"

"我都没见过他，怎么能认出他来呢？"

"你看，你连认都不认识，到时怎么作证。这不麻烦了吗？"

众人一听，都没了办法。蒋平想了想，说道：

"我看不如这样吧。到时我们都去听堂，艾虎你注意我的表情动作。我点头就是真的马朝贤，摇头就是假的，你一定要随机应变。"

艾虎点点头，众人这才放心。当天晚上，艾虎就被押进了大理寺。

次日，天过午时，七堂会审开始了。七位大人，一边三位，中间是内府都堂三千岁陈琳。堂下，开封府的英雄站立两侧，都在这里听堂。

首先带上来的是马强。马强上来之后，先朝着各位大人磕头行礼。文颜博一拍桌子，问道：

"马强，你府中的艾虎，是你什么人？"

"回大人，他是我的干儿子，也是我的书童。"

"如今他来到京城，为你伸冤了。"

马强一听，感动得差点没哭出来。想想自己平时对人家也不怎么样，但关键时刻人家却挺身而出，为自己说话。如果他日后能够出去，一定好好报答艾虎。

文颜博传令，将艾虎带上。艾虎上了堂来，先看了看蒋平在哪里。看到蒋平站在一个挺显眼的地方，就放下心来了。然后，艾虎不慌不忙，给众位大人一一磕头行礼。

文颜博一看，这个小孩长得虎头虎脑，挺讨人喜欢，于是问道：

"娃娃，你叫什么名字？"

"我叫艾虎。"

"艾虎，把你的冤枉从实说来吧。"

"是。众位大人，杭州太守倪继祖勾结江洋大盗欧阳春，不光抢劫了霸王庄，还将我们大爷定成死罪，我看不过去，特来为我家大爷鸣冤！"

马强一听，"哇"地就哭开了，对着艾虎说道：

"虎儿啊，干爹我忘不了你的好处啊……"

"干爹，你受苦了……"艾虎做得还真像，也哭开了。

文颜博一拍桌子，喝道："住口，不许你们串供。"

艾虎吓了一跳，说道：

"那，大人，我不说了。"

文颜博问道："你刚才之言，可是实话？"

"全无半句虚言。"

"当时你可在场？"

"我不在，我是听人说的。"

马强一听，差点没瘫倒。心想，你就说是亲眼所见不就行了？真是个傻孩子。

文颜博又问道："既然是听人说的，为何还来告状？"

"这些事我是听人说的，但有些事我是亲眼所见啊！"

"什么事，还不快快讲来？"

艾虎就把那套词又搬了出来，行云流水般地讲了一遍。马强一听，心说这不是陷害老子吗？立刻就要扑上来和艾虎拼命。

文颜博一看，把桌子一拍，喝道："马强，你咆哮公堂，目无王法。来啊，给我拖下去打。"马强就给拖了下去，被狠揍了一顿。

文颜博问艾虎："你刚才说的那个老太爷是谁，叫什么名字？"

"他叫马朝贤。"

众位大人一听，除了陈琳，无不惊讶。文颜博一看这样，先叫艾虎画了押，退在一旁。然后又传马朝贤。

一听说马朝贤要来了，艾虎十分紧张。因为他没有见过马朝贤，怕认错了就麻烦了。时候不大，一个老太监上来了，七十多岁，嘴上无毛。艾虎就看蒋平，蒋平那脑袋跟波浪鼓似的，直摇。艾虎立刻扑了上去，怒斥道：

"你算什么东西啊！为什么假冒我家老太爷？我跟你没完。"一边说一边爬上去抓挠那个太监。

那个假马朝贤一看被识破了，脸立刻就红了，灰溜溜地下去了。

过了一会儿，又上来一位。艾虎偷眼看蒋平，蒋平脑袋摇得更厉害了。艾虎立刻扑了上去，"啪"就给了那人一个嘴巴子，打得那人两眼直冒金星。艾虎骂道："哪里来的这些混蛋，胆敢假冒我们家老太爷。再来，我就跟你玩命。"

文颜博一听，再次传马朝贤上堂。

昨天晚上，李天祥以预审为名，在大理寺牢房里，向马朝贤通报了情况。马朝贤一听，大骂有人栽赃陷害，血口喷人，说自己根本就不认识什么书童。李天祥一听，心生一计，便使这"假马朝贤"之计，用来考验艾虎是不是诬告马朝贤。

没想到，魔高一尺，道高一丈。李天祥和马朝贤能想到的，蒋平也想到了，并且先做了准备。结果，还是把真的马朝贤给认了出来。

真的马朝贤一上堂，蒋平立刻点头。艾虎一看，赶忙跑过去，抱住马朝贤的腿就哭开了："老太爷，您最近可好？可把孩儿给想坏了！"

马朝贤一看，根本就不认识这个小孩，飞起一脚就把艾虎踢倒在地，喝道："小子，你是什么人，我根本就不认识你，你为何要来害我？"

岳横一看，火冒三丈，他把桌子一拍，喝道："马朝贤，你当这是什么地方，你以为还是在你那四肢库？竟敢如此放肆，来啊，给我拉下去掌嘴！"

校尉把马朝贤拉到堂下，一通暴揍，打得连他爹妈都认不出来了。然后，又把他架到堂上。

文颜博对艾虎说道："你把他监守自盗的事，如实说来吧。"

艾虎就又把那套词搬出来。他现在已经说了好几遍了，特熟，一点磕巴都不打，就说了下来。而且还绘声绘色，由不得人不信。

马朝贤听得浑身直抖，死活也不招认。

文颜博说道："马朝贤，如果从你家取出赃物，该当如何？"

马朝贤说道："如果取出赃物，我任你杀剐，决无怨言。"

"好，画供。"

陈琳上殿，把审案的情况禀明了皇上，又把众人的口供献上。四帝一看，立刻传旨，命岳横前往霸王庄取赃。

岳横不敢怠慢，立刻交待岳山前去办理。岳山点齐兵马，立刻动身。不日，来到霸王庄。在地方官的陪同下，果然在大佛的肚子里搜出了珍珠闹龙冠。岳山带好赃物，急忙回京赴命了。

一直守候在附近的丁兆蕙这才放下心来，回茉花村了。

岳山回到京城，立刻将赃物交给了岳横。岳横不敢耽搁，马上呈给了皇上。四帝仁宗一看，立刻传旨，将马朝贤带到金銮宝殿，要来个真正的龙楼御审。

马朝贤见了珍珠闹龙冠，明知委屈，也无话可说，只好任凭发落。

最后，马朝贤监守自盗，大逆不道，被判死罪。

马强私藏龙冠，图谋造反，作恶多端，伤天害理，按律当斩，立刻执行。

倪继祖为民除害，无过有功，官复原职，另行嘉奖。

欧阳春替天行道，除暴安良，立下大功，重重嘉奖。

艾虎铤而走险，揭发恶人，虽然做法有些不妥，但勇气可嘉，皇上封了他的绰号"小义士"，以资鼓励。

就这样，一段糊涂官司就算了结了。倪继祖回到杭州继续任太守。欧阳春、智化领着艾虎，告别了开封府的众位英雄，回到了茉花村。他们要去茉花村看望丁氏二侠，另外还要教艾虎武艺。

·209·

时间过得飞快，转眼就过了三年。这一天，皇上在耀武楼上观看开封府众位英雄献武。看得兴起，突然想到了欧阳春。他心里琢磨：当初欧阳春一个人抄了霸王庄，足见他武艺过人。这样的人才如果能够招募到麾下，让他为国家效力，那可是一件大好事啊！想到这里，四帝传下圣旨，要包大人前去寻找欧阳春。

包大人接旨回府，和大家商量了一下。最后，就把这件事交给了蒋平。因为蒋平最聪明，这样的事交给他准没错。

蒋平也不推辞，收拾了东西，告别众人，就赶奔茉花村而去了。

# 第二十章 猛虎出山

蒋平来到茉花村，丁兆兰带着艾虎就迎了出来。多年不见，相见之下，彼此都十分高兴。蒋平说明来意，丁兆兰说道：

"哎哟，你来的可真不巧。军州卧虎沟有个老英雄，叫铁面金刚沙龙，是辽东六老中的一老。他最近要过生日，下了请帖，老哥哥领着我兄弟和智化到他那里祝寿去了，已经走了五天了。你要是着急的话，就到那里去找吧。"

蒋平一听，看来是要走一趟了。说话间，酒席已经摆好，大家入席，边吃边聊。蒋平瞅着艾虎，仔细打量。三年不见，艾虎已经长大了很多，个头也高了，胸脯也鼓起来了，太阳穴鼓鼓的。蒋平越看越喜欢，把艾虎拉到身边，问道：

"虎儿，这三年来，你都干了些什么呢？"

"没干什么，光学武了。"

"跟谁学啊？"

"跟我干爹，我师父，还有两位大叔。"

"等会儿吃完了饭，练给四叔看看。"

艾虎挺大方，一口答应下来。吃完了饭，就在当院里练了起来。蒋平一看，好家伙，颇有些北侠风范呢！看来这三年没少用功。过了一会儿，艾虎练完了，蒋平夸奖了几句，又问道："你陆上的功夫练得是不错了，水里的功夫如何呢？"

"不行，就能扎个猛子。"

"那可不行，真正的英雄好汉，要水路两栖，样样精通。"

"嗯。四叔，你马上准备去军州，还是回东京？"

"我去军州找你干爹。"

"那我陪你一起去吧，你也有个伴。"

蒋平一想，也不错，这孩子大了，应该出去走走了，于是就答应了。艾虎自然高兴得不行，转身就回去收拾东西了。

丁兆兰把蒋平和艾虎送到了村头，又叮嘱了艾虎几句，就回去了。蒋平就带着艾虎上路了。

爷儿俩走了几天，觉得天气炎热，太过辛苦，不如走水路来得轻松。于是爷儿俩在码头上了一艘客船，搭船前往军州。

旅途枯燥，爷儿俩没有什么事好做，就呼呼大睡。船走了几天，突然遇上了大风。江面之上，浪头一人多高，一个接一个地打过来。客船如同一片树叶，在风浪中摇来晃去。船上有一大半人都晕船呕吐，蒋平精通水性，一点事没有。

过了很长时间，风浪才渐渐平静下来，客船也靠了岸。蒋平睁眼一看，人人都是满身尘土，肮脏不堪。他估计自己也好不到哪儿去，便把衣服脱了，下江去洗澡。

一入到水里，蒋平可来劲儿了，游了一程又一程，不知不觉，游到了一个江心洲边。这片江心洲面积不大，上面全是芦苇，十分僻静。蒋平正准备往回游，突然听到芦苇荡里有人说话。

"说，还有什么？"

"没有了，都在这里了。"

"老实交代，不然一刀把你给宰了。"

"没有了，确实没有了。"

蒋平一听，有人打劫，这事我可得管。蒋平拔开芦苇丛，往里一看。里面有艘小船，有两个年轻的水手站在船头，一个老者跪在他们的脚下，面前还放着几个包袱。

蒋平一个猛子，扎进水里，游到船边，扒着船弦就上了船了。那两个小贼正在猖狂，突然见有人上了船，吓了一跳，连忙问道："你是干什么的？"

蒋平也不废话，三下五除二就把两人打入水中。然后蒋平也跟着跳了下去，到了水里，那两个毛贼就受了苦了，他们哪里是蒋平的对手，一会儿工夫就给蒋平灌了个大饱肚子，死了。

蒋平翻身上船，来到老者面前。老者一看救命恩人，"扑通"就跪倒在甲板上，忙不迭地磕头。蒋平连忙将老者扶起。老者忙问蒋平姓名，蒋平如实回答，老者一听，不禁喊道：

"蒋四爷，我总算找到你了！"

蒋平听了，非常诧异，自己并不认识这位老者啊！那老者从怀里掏出一封信来，递给蒋平。蒋平接过信，拆开一看，不禁看出了一脑门子汗来。

原来，这老头儿名叫雷震。他有两个儿子，一个叫震八方雷英，一个叫雷焕，都在襄阳府里当差。前不久，雷焕得知襄阳王赵珏有谋反之心，想推倒四帝仁宗，自己做皇帝。襄阳王为了增加势力，暗中串通宁夏王赵元浩，答应如果能推倒大宋江山，与他平分天下。

赵珏在襄阳王府内修了一座冲霄楼铜网阵，里面放了一份盟单。这份盟单非同小可，上面记载了三百六十个人的名字。这三百六十个人都是赵珏的死党，是和赵珏歃血为盟的兄弟，准备共同造反推翻大宋江山的。因此，这份盟单非常重要，赵珏在冲霄楼内设下层层陷阱埋伏，防守甚为严密。

雷焕得知这个消息后，大为吃惊。因为他的哥哥雷英已经在盟单上签字画押了，发誓和襄阳王大干一场。雷焕死劝活劝，哥哥就是不听。无奈之下，雷焕便写了一封密信，让爹爹赶来襄阳，规劝哥哥。如果雷英还不听劝，纵使断绝骨肉之情，也要到开封府报告此事。

蒋平看完这封信，想起了前不久长沙太守、武昌太守、襄阳太守联名状告襄阳王谋反之事。四帝仁宗并未相信，反而免了三位太守的官职。因为赵珏是四帝仁宗的亲叔叔，所以仁宗觉得这事不可能。现在看来，仁宗错了，而且那三位太守确实是被冤枉了。

· 213 ·

蒋平问道："老人家，你打算去哪里啊？"

"我准备去襄阳，规劝我的儿子雷英。"

"我看算了。老人家，你的二儿子说得对，雷英已经铁了心要跟襄阳王干了，你去也没用。搞不好，你还会把这条老命给搭上了。"

"那——你说我该怎么办？"

"你应该赶快把此事禀告官府，让官府处理。我看这样吧，我先把你安顿个地方，免得出事。这封信，你先交给我，可以吗？"蒋平怕老头被人暗害，到了关键时候没了人证就麻烦了。

"行，当然可以。全听四爷的安排。"

蒋平打定主意，先把雷震这件事禀告朝廷，然后自己再赶奔军州。他带着雷震回到码头，一看，客船已经开走了。蒋平想到艾虎还在船上，那孩子是第一次出门，不禁有些担心。后来想想艾虎也不小了，也应该锻炼锻炼了，他自己应该也能到军州卧虎沟找到北侠的。想到这里，蒋平带着雷震扬长而去。

艾虎在船上呼呼大睡，什么大风大浪他都不知道，一直睡到军州。客船开到码头，船家让客人都下船，艾虎才被吵醒。他看看四周，蒋平已不在身边，不禁有些慌了。他一把抓住船家的领子，问道："你有没有看见和我一起上船的那个小老头？"

"客官，船上有好几百人，我怎么可能记得住呢？"

"你看，衣服、鞋袜都在，你却说不知道？"艾虎说着，"啪"打了船家一个嘴巴。

其他的水手一看，都跑了过来。艾虎也知道自己理亏，只是一时着急，不知如何是好了。他连忙向船家道了歉，收拾了一下东西，就下船走了。

艾虎心想：四叔不告而辞，肯定是有急事，我就不必找他了。干脆我自己前往卧虎沟，说不定到了那里就碰到他了。想到这里，艾虎打定主意，翻山越岭，一路询问，就往卧虎沟而去。

这一天，艾虎来到了一个村庄。刚到村口，就看见街上人来人往，十分热闹。一打听，才知道有对老夫妻一直没有儿女，最近收了个义女，十分高兴，所以大摆筵席在此庆贺。艾虎一听，这倒是个喜事啊，便扭头去找饭馆了。可找来找去，村子里并没有饭馆。艾虎一想，得，我干脆去给人家贺喜，顺便吃点饭吧。于是，艾虎就来到了那对老夫妻住的地方。

院门上贴着大红的喜联，乡亲们都穿红戴绿，喜气洋洋地进进出出。饭菜的香味一阵阵地传出，闻得艾虎直流口水。艾虎走进院中。门口管收礼的是个小伙子，一看艾虎连忙迎了上

去。艾虎随手就掏出了十两银子。那小伙子一看，一个劲儿地
推辞。乡下人送礼就是送个喜气，也就是十个铜钱，艾虎这么
出手，自然把人家吓了一跳。

　　几番推来让去，最后那小伙子还是收下了。小伙子告诉艾
虎自己叫做史云，是个猎户，今天是来帮忙的。艾虎也报了自
己的姓名。史云一听说是"小义士"，大为敬仰，连忙把艾虎请
到了屋中，与那对老夫妻见面。

　　那对夫妻姓陆，一听说是开封府的官人来了，非常高兴，
忙不迭地把艾虎让到屋里坐。他们刚收的义女也坐在屋中，艾
虎一看，不禁眼前一亮。此女子长得貌若天仙，绝非普通人家
的女子。艾虎好奇，多问了两句，一问之下，才知道这女子的
来历。

·215·

　　原来此女是襄阳太守金辉之女，名叫金牡丹。金辉状告襄
阳王，结果丢了官职。他回乡不久，老伴也不幸病故。金辉不
甘寂寞，又续了弦。金牡丹的后妈姓颜，这个颜氏生性放荡，
背着金辉和那账房先生做出了苟且之事。有一次，两人正在巫
山云雨，不慎被金牡丹看到。颜氏为了掩盖事实，来了个恶人
先告状。她和账房先生将男人用的鞋袜、衣裤藏在金牡丹的房
中，然后到金辉那里告状，说小姐偷养男人。金辉跑到女儿房
中捉奸，人没捉到，搜出来了那些衣物。金辉一怒之下，让金
牡丹选择一种方式，自尽而亡。金牡丹有口难辨，最后跳河自
杀，没想到被陆氏夫妻给救了。这段事情金牡丹一直守口如瓶，
连陆氏夫妻都没有告诉。今天见到了开封府的艾虎，才将事情
说了出来。

　　艾虎一听，表示等把军州之事办完，一定会替金牡丹讨个
公道的。金牡丹自是感激不尽，陆氏夫妻也非常感谢艾虎。老

两口陪着艾虎到了院中，此时酒席早已开始。艾虎入座，一看好些个酒肉，艾虎也不客气，大口大口就吃了起来。

好家伙，艾虎可是吃了不少的肉，喝了不少的酒，后来实在不行了，就趴在桌子上睡着了。史云一看，把他抬到一处阴凉的地方，给他铺了张床，让他好好地睡了。众人继续喝酒吃肉。

正吃着呢，突然顺山路跑来一彪人马，足有一百多人。转眼之间，这彪人马就来到了陆氏夫妻的院子前。正在吃喝的乡亲们一看，都傻了眼了，也没人吃也没人喝了。

来的这彪人马是哪里的？离此地不远，有个黑狼山。山上有三个寨主。大寨主叫金面神兰骁，二寨主叫葛姚明，三寨主叫葛姚亮。今天来的这彪人马中就有葛姚明、葛姚亮。他们今天就是来抢劫的。

葛氏兄弟领着喽罗们进了院子，那葛姚明说道：

"哟，你们过得还挺不错的嘛，有酒有肉的。陆老头儿呢？"

陆老头哆哆嗦嗦地走了上来，问道：

"二位寨主在上，小的我有礼了。"

"老陆头，你这是办什么喜事啊？"

陆老头不敢隐瞒，如实说了。葛姚明说道：

"你欠我们的渔税还没交呢，倒有钱办喜事。我倒要看看，你找了个什么样的女儿。"说着，就要往屋里去。

其实陆老头并不欠什么渔税，但这些强盗说什么就是什么，老百姓也没有办法，只好任其鱼肉。陆老头一看他们就要往屋里闯，连忙伸手相拦，说道：

"寨主爷请留步！我这义女胆子小，没见过世面，这么多人，会把她吓坏的。"

葛氏兄弟才不管这些呢，把陆老头推开，就进了屋。一看金牡丹，两人都起了淫心了。兄弟俩一对眼神，就要动手抢金牡丹。

陆老头一看，连忙上去阻拦。可他哪里是葛氏兄弟的对手，一下子就被推开了。葛氏兄弟又喊了几个喽罗，七拽八扯就把金牡丹拉到了院中。

史云一看，光天化日之下竟敢抢人，实在太过分了。他顺手操起一把铁锹，就扑了过去。乡亲们也早就看不下去了，一见有人带头，纷纷拿起身边的农具，扑了上去。一时间，院子里乱作一团。

葛氏兄弟和那伙山贼一开始没有料到村民会反抗，给打了个措手不及。等反应过来了，便纷纷拽出兵器，这一来，村民可倒霉了。他们哪里是训练有素的山贼们的对手，没多长时间，就都被打倒在地，史云的腿上也被砍了一刀。

正在这时，艾虎醒了。他听见院子吵吵嚷嚷的，不知发生了什么事。艾虎揉揉眼睛，翻身起来。一看，打起来了。史云见艾虎醒了，就冲艾虎喊道：

"小义士，有贼人啊！"

艾虎拿起单刀，跑到当院，大喝一声："都给我住手。"

这一嗓子，双方都停了手了。陆老头指着葛氏兄弟说道："小义士，就是他们这些山贼，想抢金牡丹。"

艾虎一听，火冒三丈，单刀一指，问道："你们是什么人？竟敢如此放肆！"

"你是什么人？"

"你问我？我师父是黑妖狐智化，我干爹是紫髯伯北侠欧阳春，我就是万岁亲赠绰号的小义士艾虎！"

葛氏兄弟一听，不由得倒吸了一口冷气：开封府的官人，怎么会到我们这穷乡僻壤来了呢？不过既然来了，管他是谁，只要敢管我们的闲事，一样不客气。想到这里，葛姚明挥刀就扑了上来。

艾虎一看，来得正好，挥刀便与葛姚明战在了一处。

艾虎的武艺得了四位侠客的真传，虽然尚未娴熟，但也不可小觑。相比之下，葛姚明就差了些了。打了不到十个回合，就只有招架之功，没有还手之力了。葛姚亮一看，这么打下去就完了，挥刀也扑了上来，两个人合力战艾虎。

那些喽罗一看，两位寨主都上去了，我们还等什么啊？"哗——"，全扑了上去。

双拳敌不过四掌，猛虎斗不过群狼，艾虎的武艺虽然高强，可这么多人一齐上，他也顶不住啊。时候不长，腿上就挨了一棍子。艾虎一慌，屁股上又被揣了一脚。他站立不稳，翻身倒地，单刀也跌落了。群贼一拥而上，就把艾虎给抓住了。

这下，那些村民们就更倒霉了。那些山贼逢人便打，片刻工夫，血染尘埃。葛氏兄弟命人将艾虎、史云、陆氏夫妻、金牡丹都装上了车，又把抢来的东西装了几车。然后一把火，把村庄给烧了，便扬长而去。

葛氏兄弟一路洋洋得意，马不停蹄。翻过一座大山，是一片树林，突然丛林中飞出一物，正好砸在葛姚明的头上。紧接着，一只鹰从林中飞出，落在葛姚明的脑袋上，就来啄那个东西，吓得葛姚明连扑拉带闪躲。

老鹰受惊，又飞进了树林。葛姚明把脑袋上的东西拿下来一看，原来是块牛肉。葛姚明这个气啊，就骂开了："他妈的，这是谁家的鹰啊？有种的给我出来。"

骂音未落，树林中出来一队人马，全是女的。葛氏兄弟定

晴一看，认识，原来是沙凤仙、沙秋葵姐妹。

沙凤仙、沙秋葵姐妹的爹爹就是辽东六老之一的铁面金刚沙龙。这两个姐妹长得颇为有趣。姐姐沙凤仙，貌美如花赛天仙；妹妹沙秋葵，面目丑陋赛阎罗，因此有个绰号叫"二阎王"。姐妹俩跟着自己的爹爹学习武艺，都是一身的好本领。姐姐沙凤仙还有一手弹弓绝技。

今天，姐妹俩没事跑出来遛鹰打猎，不巧正碰上了葛氏兄弟。葛氏兄弟一看是她们俩，心里就有些发毛。葛姚明连忙陪笑说道：

"二位姑娘，刚才不知道是您二位的鹰，才出口骂人的。否则，就是啄伤了，也不敢骂呀。"

沙凤仙性格温和，一看人家已经赔礼道歉了，就给妹妹使了个眼色，意思就说算了。

可沙秋葵性子粗鲁，不管这些，她瞪着眼睛说道："凭什么啊！为什么要挨他臭骂，他又不是咱们的儿子。"

葛氏兄弟一味退让，好话说尽，可二阎王沙秋葵就是不依不饶。最后，葛氏兄弟也翻脸了，双方就要动手。沙秋葵就想和人打架，挥舞着大棍就冲上去了。沙凤仙一看妹妹出手了，她怕妹妹吃亏，也挥刀上去了。姐妹俩就和葛氏兄弟战在了一处。

一打起来，葛氏兄弟明显处在下风，没几个回合，葛姚明的刀就被沙秋葵给磕飞了。葛姚亮见势不妙，护着哥哥就跑了。底下的喽罗们一看头都跑了，"哗——"都散了，那些车和抢来的人、财物也顾不上，都留给了沙氏姐妹了。

沙氏姐妹把车上的人都救了下来，一打听，才知道小义士艾虎也在里面。

艾虎一问，得知这二位就是沙龙的女儿，便问起欧阳春和智化他们。沙凤仙告诉艾虎，欧阳春和智化前些天确实来到了卧虎沟。一行人赶着车，边说边走，前往卧虎沟。

北侠欧阳春和沙龙都是边北辽东人氏，打小在一起长大的。后来，他们与大刀镇陕西严正方、鲁仲贤、翻江海马尚君义、浪里白条石万奎磕头拜了把兄弟。他们就是赫赫有名的辽东六老。沙龙是老大，欧阳春是老二。

欧阳春和沙龙的交情自然是不用说了，每次沙龙过寿，欧阳春是一定要来的。这次他不仅自己来了，还把智化和丁兆蕙带来了。沙龙非常高兴，热情款待。

众位侠客聚会，豪情万丈，谈天说地，议古论今，后来就说到了襄阳王。卧虎沟离襄阳不远，沙龙有不少朋友在襄阳，所以消息比较灵通。他透露给大家，襄阳王赵珏有意谋反，招兵买马，囤积粮草。并且勾结宁夏国，借兵四十万，准备明年正月十五，分五路出兵攻打大宋。

沙龙又将冲霄楼铜网阵和三百六十人的盟单的事对众位英雄讲了。大家一听，无不吃惊。欧阳春说道："此事可是千真万确？"

"我有不少朋友都在襄阳，有些还在襄阳府里做事，消息不会有误。"

北侠点了点头，说道："这次我可没有白来。一来给你祝寿，二来得到这么重要的消息。虽然我不是官府的人，但我要尽快把这件事告诉蒋平、白玉堂、展昭他们，让他们快快禀告皇上。"

几人在沙龙这里又住了几日，便告辞前往襄阳，他们要明查暗访襄阳王。

沙氏姐妹带着艾虎他们回到了卧虎沟。沙龙听说小义士来了，十分高兴。见了面之后，艾虎问起欧阳春等人，沙龙说道：

"你来的可真不巧，他们刚刚走了。"

"走了？到哪里去了？"

沙龙便把襄阳王造反一事又说了一遍，最后说欧阳春他们是去襄阳打探消息去了。艾虎一听，也待不住了，立刻就要前往襄阳，寻找欧阳春他们。沙龙怎么留也留不住，只好再三叮嘱，一路小心，便把艾虎送走了。

葛姚明、葛姚亮兄弟回到了黑狼山，把事情经过对大寨主金面神兰骁说了一遍。兰骁一听，怒火中烧，心说：老沙头，我敬重你是武林上响当当的角色，一直对你丝毫不犯。你可好，得寸进尺了。既然你不仁，就别怪我不义了。想到这里，兰骁就开始准备发兵攻打卧虎沟了。

· 221 ·

兰骁是联庄会的会首，管着四十八个村庄，庄客不下三四千人。黑狼山还有几千人马，确实有点势力。所以兰骁被襄阳王赵珏任命为陆军大元帅。兰骁一边准备兵马，一边派出密探，打探消息。他比较忌惮三侠五义，后来听说欧阳春他们已经离开了卧虎沟，才放下心来。于是兰骁带着葛姚明、葛姚亮和偏、副寨主，点兵两千，就直奔卧虎沟而去。

沙龙这边也得到消息了，不禁大吃一惊。他知道这是女儿惹下的祸事。但事到临头，怕也解决不了问题，他略一琢磨，也点兵两千，带着两个女儿，出门迎敌了。

双方就在离卧虎沟二里之外的空地上，摆开了战场。一场恶战，即将爆发。

# 第二十一章 勇闯龙潭

　　沙龙带兵来到阵前，摆开了阵形。他看见对面兰骁也摆好了阵形，准备大战一场。沙龙曾做过辽东太守，还做过辽东镇的总兵。他知道一旦打起来，死伤无数，就不好收拾了。所以他想把事情大事化小，小事化了。他来到兰骁面前，朗声说道：

　　"兰寨主，你领兵来到我卧虎沟，所为何事？"

　　"呸！沙龙，你还装糊涂？你的两个女儿干的好事，难道你不知道吗？平日里我对你一向尊敬，没想到你的女儿这么没有教养，竟然欺负到我的头上来了。今天，你若老老实实把女儿交出来，一切好说，否则，别怪我手下无情。"

　　沙龙强压怒火，说道：

　　"兰寨主，你的手下洗劫村庄，伤人无数，还劫持开封府的官人，强抢金太守之女，所做之事，无一正道。我劝你还是快快收兵，从今后，咱们井水不犯河水，这事就算扯平了。如果非要欺负老夫，老夫这口刀也不是吃素的。"

兰骁一听，气得哇哇暴叫，二话不说，挥动狼牙镗，就扑了上来。沙龙一看，一晃手中的滚球宝刀，就迎了上去。两人就战在了一处。

只见沙龙把滚珠宝刀舞得上下翻飞，滴水不漏。而金面神力大镗沉，招招生风。两人打了个难解难分。

打了二十多个回合，沙龙在兵器上吃亏了。他的兵器没有兰骁的重，所以一直都使巧招，不敢正面接触。一个不留神，宝刀正好磕在狼牙镗上。那狼牙镗足有百十多斤，宝刀一碰上去，就被磕飞出去。兵器没了，沙龙焉能不败？

沙龙转身就跑，一个没留神，被地上的石头绊了一下，"扑通"，摔倒在地。兰骁一看，举起狼牙镗，就要行凶。

· 223 ·

正在这千钧一发之时，沙凤仙掏出弹弓，"啪啪啪"，朝着兰骁打出一串弹丸。

兰骁一看，连忙躲闪。沙秋葵趁机把爹爹救了回去。沙凤仙一压双刀，就冲了上去。兰骁一看，心里乐了。他想沙凤仙是个美女，不如把她擒住，回去做个压寨夫人。想到这里，他便使出浑身解数，与沙凤仙战在一处。

刚打了十几个照面，沙凤仙就抵挡不住了。沙秋葵一看，急忙抢起大棍，冲了上来，和姐姐一起迎战兰骁。

兰骁以一敌二，也不露惧色。沙龙此时已缓过气来，他见此情，知道再打下去自己这边也占不到便宜，就准备鸣金收兵。

正在此时，突然有一人来到面前，这个人一面走，一面还喊着：

"贼寇莫要猖狂，天下第一大英雄来了！"

沙龙一看，来的不是别人，正是翻江鼠蒋平。

蒋平在陆上碰上了雷震,得知了襄阳王谋反的事。他带着雷震到了地方的官府,将身份亮出,让知府、县衙立刻将雷震送到开封府,向包大人禀明情况。然后,他才赶来卧虎沟。没想到,刚来,就碰上这边在打仗。

沙龙一看蒋平来了,喜出望外。蒋平一看对面兰骁很是勇猛猖狂,就问沙龙那人是谁。沙龙就把事情经过简短地说了一下。蒋平一听,让沙龙鸣金收兵,把沙凤仙和沙秋葵都召了回来。他自己要上去会会兰骁。

沙氏姐妹听到鸣金,回归本队。蒋平上去了。兰骁一看来人,个头不高,其貌不扬,喝问道:"你是何人?"

"我家住陷空岛卢家庄,现在开封府效力,我叫翻江鼠蒋平。你是不是就是襄阳王手下的陆军大元帅兰骁啊?"

兰骁一听,心里就是一惊。一来他听过五鼠的大名,知道他们的厉害;二来他没想到自己是襄阳王手下的陆军大元帅一事蒋平已经知道。蒋平知道了,开封府必然也就知道;开封府知道了,那皇上岂不是也知道了?想到这里,金面神不知不觉就出了一身冷汗。

兰骁往四下里张望,他想看看三侠五义到底来了几个。看看好像就蒋平一个,他的胆又壮了。兰骁一晃手中的三棱分水狼牙镗,就向蒋平扑去。蒋平也不敢怠慢,挥动他的分水峨嵋刺就与兰骁战在一处。

行家一伸手,就知有没有。真打起来,蒋平不是兰骁的对手。战了十几个回合,蒋平就已经捉襟见肘应接不暇了。眼看就要败下阵来,这时突听有人喊道:

"四弟不必着急,为兄到了。"

蒋平往外一看,来的不是别人,正是欧阳春。可把蒋平给乐坏了。

欧阳春和智化、丁兆蕙辞别了沙龙，赶赴襄阳打探消息。在经过一段时间的明查暗访后，已经确定了襄阳王谋反之意。三人就商议，智化继续留在襄阳，观察赵珏动向。欧阳春和丁兆蕙先回卧虎沟，同沙龙告别，然后两人就回开封府报信。他们刚走到村头，就听说这边开战了。于是，两人连忙赶来。

蒋平一看欧阳春来了，连忙跳出圈外，躬身向欧阳春施礼，说道：

"老哥哥一向可好？可把我给找苦了。"

"什么事？"

"皇上非常想念你，让我到处寻找你。没想到，在这里碰上你了。"

"原来如此。我们过会再慢慢聊，等我先把这小子给收拾了。"

"好的，老哥哥，千万小心，这小子有两下子。"

"嗯。"

欧阳春来到阵前，指着兰骁说道："你就是兰骁吗？"

兰骁一看，对面来了个大胖子，用狼牙镩一指，厉声问道："正是在下。你是何人？"

"我复姓欧阳，单字一个春，人称紫髯伯。"

兰骁一听，"噔噔噔"倒退出去好几步。欧阳春的名号可是如雷贯耳啊，没想到在这里碰上了。可他再仔细看看欧阳春，心里又有些不服，心想你都胖成那样了，再厉害还能厉害到哪里去？所以，兰骁把嘴一撇，身形站定，就要动手。

欧阳春心说，不要和他费唾沫了，速战速决吧。想到这里，老侠客晃动身形就上去了。兰骁一挥狼牙镩就往欧阳春身上砍，欧阳春一个闪身，躲了过去，顺手一点，就点中了兰骁的穴道。

就这一下，兰骁就动弹不得了。欧阳春使了个扫堂腿，就把兰骁打倒在地。卧虎沟的兵将上来就把他给捆了。沙龙一看，把宝刀一举，高声喊道："弟兄们，冲啊——"

卧虎沟的兵将如同猛虎下山一般，就冲了过去。黑狼山的人一看主将被擒，哪里还有心恋战，四散奔逃。时间不长，卧虎沟的兵将就结束了战斗，大获全胜。

这次交战，除了抓获葛氏兄弟等十六个头目外，还打死了几十个喽罗兵。铁面金刚派人通知了当地的官府，让他们出兵抄了黑狼山，并将赃物一律封存。

金面神兰骁虽然是个山贼，但他同时也是襄阳王手下的陆军大元帅。所以，欧阳春、丁兆蕙、蒋平商议，要将他押往东京，交给皇上审讯。一行人告别了沙龙，押着木笼囚车，朝东京走去。

智化在襄阳城内，独自监视襄阳王赵珏的举动。这天，他在街上溜达，突然听到人们都在纷纷议论，说朝廷已经派出了钦差大臣，前来查办襄阳王。

智化心中暗想：皇上此举未免有点多此一举。襄阳王图谋造反，人证物证现在都有了，直接派兵前来征讨不就得了，还查办什么？可想是这样想，现在离京城远隔千山万水，只有耐心等待了。

智化一连等了数日，终于将钦差大人给等来了。

来的钦差大人是谁啊？不是别人，正是颜查散。

雷震到了东京，把赵珏造反之事做了禀报。没过几天，欧阳春他们押着兰骁也到了京城；将赵珏的企图说得清清楚楚。满朝文武，都上奏皇上，请皇上出兵，攻打襄阳，讨伐赵珏。

但仁宗认为，不管怎样，赵珏是自己的亲叔叔。虽然现在有这么多证据表明他有谋反之意，但还不能就此肯定。草率发兵，万一冤枉了叔叔，就很是不妥了。所以，他想先派颜查散为钦差大臣，前往襄阳，以探虚实。

颜查散走之前，到开封府拜见包大人。并说自己势单力薄，想请包大人帮忙调配人手。当时卢方、徐庆、韩彰、展昭正在洪泽湖剿匪，蒋平也领着一帮人在汜州治水。包大人便让公孙策和白玉堂陪着颜查散前往襄阳。

颜查散将事情都准备完毕，就带着五百京防营兵，日夜兼程，赶往襄阳。

这一天，终于来到了襄阳。襄阳城的老百姓早就听说钦差大人要来，都涌上了街头，前来一睹真容。智化也挤在人群之中张望。

只见走在最前面的是颜查散，后面跟着的就是白玉堂。白玉堂春风得意满面笑容。此次前来，皇上提拔他为二品副将，官又升了。所以他格外高兴。

智化看着颜查散一行进了公馆，等了半天，也进了公馆。

白玉堂得知智化来了，非常高兴。哥儿俩见了面，倍感亲切，寒暄过后，智化说道：

"五弟，哥哥有一事不明，想请教贤弟。"

"哥哥请讲。"

"万岁为何不直接发兵，捉拿襄阳王，为何还要派钦差大臣呢？"

"这事就说不准了。皇上圣明，自有他的打算吧。我们是下面人，就要照着皇上的意思办事。"

"话是这么说。不过我是真担心啊！襄阳王密谋造反，早有准备。你们此次前来，凶多吉少。我看，查办之事，你们也不必太过认真，及早劝皇上发兵才是当务之急。我现在就去请武林同道，前来助你们一臂之力。"

"多谢智化大哥的一番美意。小弟我一定牢记在心。"白玉堂嘴上这么说，其实并没有往心里去。

智化听了，非常高兴。他又把冲霄楼铜网阵，三百六十人的盟单，宁夏国出兵等事，对白玉堂讲述了一遍。白玉堂连连点头，牢记在心。

最后，智化又嘱咐了一遍千万小心，并请白玉堂把自己所讲的情况告知颜查散，才不舍离去。白玉堂一直送出门外。

白玉堂送走智化，前去找颜查散。颜查散也同地方上的官员进行了沟通，了解到的情况和智化所言差不多。白玉堂和颜查散商议了一下，决定小心行事，随机应变。颜查散决定给包大人修书一封，将此处情况及早告知开封府。

白玉堂回到自己屋中，就有些坐不住了。他越听智化他们讲冲霄楼铜网阵如何如何厉害，就越是不服气。等到半夜，他起身换上夜行衣，带好装备，就离开了公馆，前往襄阳王府而去。

襄阳王府占地近千亩，房屋数千间，规模浩大。门口有近百人的亲兵把守。白玉堂找了一条僻静的小胡同，翻墙进去了。

在王府之内，白玉堂转悠了一会儿，就来到了一处灯火通明的高楼前。只见门上写着"铁瓦银安殿"。这里便是襄阳王赵珏议事办公之所。

白玉堂来到殿后，脚尖一点，飞上了屋顶。一个"珍珠倒卷帘"，双脚扣住阴阳瓦，整个人就倒挂下来，将屋内的情况看了个清清楚楚。

只见这铁瓦银安殿是有二十四间房子连通而成的，非常宽敞气派。正中间坐着一个王官。此人四十出头，相貌堂堂，双目炯炯有神。不用说，一定就是赵珏了。

在赵珏旁边，有个老道。六十多岁，小眼睛，红脸膛。此人便是赵珏的军师，外号三首真人，名叫刘道通。存放盟单的冲霄楼原来是妙手震西洋百岁白头翁彭起设计建造的，原来只是襄阳王存放金银珠宝的地方。后来就是请刘道通和九天真人马道源改建的，才成了密布机关陷阱的杀人楼。所以，刘道通的身份很高，很受赵珏重用。

白玉堂在屋檐上探听了一会儿，发现他们主要谈论的就是自己和颜查散前来查办一事，也没有什么机密的事。白玉堂就想着去冲霄楼转转，他想的挺简单：我要是把那盟单拿到，不就立下了大功了嘛！想到这里，白玉堂就朝后院跑去。

不一会儿，白玉堂就来到了冲霄楼所在的院中。只见这座院落十分宽敞，足有三四十亩。冲霄楼就建在正中。外面围着的是九宫八卦连环堡。连环堡的大墙高有一丈八尺，墙上的门洞，也非常气派。

白玉堂一吸丹田之气，"噌"飞身上了墙头。只见墙内也十分宽敞。正门两侧各有一个亭子。一个"日亭"，一个"月亭"。从亭子中伸出两条铁链，足有碗口粗细，一直伸到冲霄楼内。白玉堂定睛观看那冲霄楼，真是高耸入云啊！楼共有三层，每一层都有六丈多高。楼分八面——表示八卦；楼盖三层——表示三才；栏杆分五色——表示五行。楼基全用汉白玉砌成，气派非凡。

白玉堂知道，这院子里和楼上到处都是机关，因此他格外小心。他从墙上跳下，踩万字步走到楼前。转了一圈，走到东方甲乙木，踩着一、三、五、七、九上了台阶。白玉堂走到东门面前，伸手抓住门上的铜环，然后向左拧了三圈，立刻蹲下身来。

门慢慢开了，从里面"嗖嗖嗖"射出三支火箭来。白玉堂躲过火箭，抬脚就要往屋里迈，突听身后"轰隆轰隆"响了两声。

白玉堂回头一看，只见地上翻起两块地砖，从里面钻出两人来。一个使刀，一个使枪，就朝白玉堂攻来。白玉堂把刀一晃，使了招"左右逢源"，"噗噗"将二人人头砍落。

虽然如此，白玉堂也是吓出了一身冷汗，因为在他所知道的消息中，没有这一道埋伏。看来这冲霄楼确实不简单，有人将它改建了。

白玉堂正想着呢，突然出现一道黑影，冲到白玉堂的身后，抓起他的手腕，就把他往外拖。白玉堂还没有反应过来，就已经被那人拖到了九宫连环堡之外了。那人也不停步，一直把白玉堂拉出了襄阳王府，来到了一处僻静的地方，才停了下来。白玉堂一看，原来是黑妖狐智化。

智化忍不住将白玉堂批评了一番。白玉堂并不介意，还是笑呵呵的，感谢智化的帮助。不过，他觉得智化有些小题大做了。智化好说歹说，让白玉堂千万不要轻举妄动，最后，智化"扑通"给白玉堂跪下了，劝白玉堂一定要小心谨慎。

这下可把白玉堂给吓坏了。他连忙将智化扶起，并且答应智化，不再擅闯冲霄楼。智化这才离去。

白玉堂回到公馆。此时公馆也发现白玉堂不见了，颜查散急得要命。看见白玉堂回来了，颜查散忙问白玉堂去了哪里。白玉堂便把事情说了一遍。颜查散非常担心，说什么也不让白玉堂再离开公馆半步了。白玉堂这次是真的死了心了，整日待着公馆中，连门都不出了。

　　白玉堂夜探冲霄楼，襄阳王府的人也知道了。他刚进九宫八卦连环堡，就被堡中的暗探发现了。那四周都是暗探，全是眼睛。而且，在银安殿中放着一口大钟。钟上挂满了铜牌，每个铜牌都表示着九宫八卦连环堡的每一处机关。只要这边的机关一触动，那边相应的铜牌就会落地。所以，只要一看铜牌的方位，就知道敌人是从哪里进来的。

　　白玉堂的所作所为，襄阳王赵珏和他的手下知道得一清二楚。虽然白玉堂并未进得楼去，但赵珏对白玉堂还是颇为赏识。他出口称赞白玉堂，手下的人听了就有些不服气。就有人自告奋勇，要去夜探公馆，取颜查散的首级。谁啊？就是那神手大圣铁臂猿猴邓车。

　　赵珏其实使的是激将法，他见邓车上当，十分高兴，亲自敬酒三杯。并问谁还敢与邓车同去。人群中走出一人来。此人叫做沈虎，外号滚地雷。赵珏也敬了他一杯酒。两人颇感荣耀，当天晚上，两人准备停当，就奔公馆而去了。

# 第二十二章 玉堂遇难

邓车和沈虎来到了公馆外面，看见门口也是戒备森严。两人不敢贸然行动，绕到一个偏僻角落，飞身上墙，进入了公馆。

邓车和沈虎在公馆里摸来摸去，就摸到了公馆大厅。只见大厅里灯火明亮，颜查散和白玉堂正在热烈地谈着。两人等了一会儿，看看没有机会下手。邓车说道：

"看来，今天晚上是没有机会杀颜查散了。不如，我们把他的大印盗走吧。"

"好，反正咱们不能空手白来。"

邓车让沈虎在这里守着望风，自己去寻找印房。古时做官的发号施令，全凭大印，没有了大印，所有的官文都是一纸空文。所以，大印对于官员来说非常重要，印房更是重兵把守。邓车找来找去，终于找到了印房。他看准时机，趁两个看守不备，"喀嚓"两刀，把两个看守都给解决了。

邓车一脚把门揣开，冲进屋里。大印就放在中间的桌子上。邓车把大印从印盒里拿出，装在身上，又把印盒和印套背在了身后，转身就走。

邓车刚出印房，就碰上了巡夜的官兵。官兵一看，立刻高声喊叫："有贼了！有贼偷大印了！"

邓车一看，连忙飞身上房，夺路而逃。

整个公馆都忙起来了。白玉堂和颜查散也听到吵闹了。白玉堂冲出屋外，问巡夜的发生什么事了。巡夜的说大印被人偷了。白玉堂一听，大吃一惊，他一个纵身，就上了房顶。白玉堂四下里张望，就看到前面有两个黑影，正在朝西北跑去。白玉堂可真急了，拿着单刀，使出平生绝学，飞也似的追了过去。

邓车跑着跑着，发现后面有人追赶。他把身上背的印盒交给了沈虎，让沈虎先跑，自己去抵挡一下。沈虎接过印盒，继续向前跑去。邓车转身把白玉堂挡住，就和白玉堂战在了一起。

邓车打了没几个回合，就虚晃了一招，跳出圈外，跑了。白玉堂一看，先追大印要紧，就奔着沈虎跑去了。

沈虎长得又矮又胖，本来就跑得慢。现在又背了一个印盒，没跑多远，就被白玉堂给追上了。沈虎哪里是白玉堂的对手，没几个照面，就被白玉堂给放倒了。众人此时已赶到，就把沈虎给捆了。白玉堂取下印盒，把沈虎押回去。

回到公馆，颜查散立刻升堂，审问沈虎。那沈虎非常倔强，一开始什么都不肯说。后来，公孙策把印盒打开，发现里面根本就没有大印。这一来，不仅颜查散、白玉堂傻了眼，连沈虎也傻了眼。他明白自己被邓车给卖了，立刻把什么都招了。

但现在印已经丢了，说什么都无济于事。颜查散让沈虎画了押，就让手下把沈虎押了下去，挥手退堂了。

　　回到内室，颜查散就和白玉堂商量开了。颜查散的意思是立即回京，禀明皇上。白玉堂那个气啊，一心就想着把印给夺回来。两人各持己见，吵了半夜，也没有个结果。最后，颜查散以钦差大臣的身份，命令白玉堂立刻回去休息，不准离开公馆半步，并让雨墨和白玉堂同房，看着他。

　　可小雨墨哪里是白玉堂的对手。到了后半夜，白玉堂就把雨墨给绑了，嘴也堵上了。雨墨急得眼泪都流出来了，可一点办法都没有。白玉堂收拾好装备，最后写了封信：

　　颜兄：请恕小弟抗令不遵。我夜入襄阳王府，索取大印。如果天亮之前，还未归来……

　　写到这里，白玉堂把笔扔了。心中烦躁，不写也罢。白玉堂一转身，出了屋子，飞也似的向襄阳王府奔去。他哪里知道，他这一去，就再也回不来了。

　　白玉堂已经是第二次来到襄阳王府了。他直接来到了银安殿。只见群贼都在这里，赵珏正在设宴款待众位，为邓车庆功呢。

　　赵珏笑逐颜开，高声笑道："诸位，邓贤弟立下如此大功，可喜可贺。来，让我们都来敬他几杯。"

　　群贼也吵吵嚷嚷道："邓庄主，你可真露脸了，来，我敬你！""邓庄主，来，干！""干，干！"

　　邓车早已喝得满面红光，他朗声说道："王爷，你把那大印放在冲霄楼内，真是高明啊！七侠五义若敢来取，准教他有来无回。"

　　"哈哈哈哈！"赵珏放声大笑，说道："大印放在冲霄楼内自然是万无一失。不仅如此，我明天还要以缺粮为由，派人到公馆用印。到时，他若交不出印来，有他好看。哈哈哈！"

　　群贼听罢，纷纷附和拍马，一片阿谀之声四起。

白玉堂一听，强压下心头怒火，心想：我先把大印取到，到时，再回来找你们这些家伙算账。想到这里，白玉堂便朝冲霄楼而去。

白玉堂来到冲霄楼下，按照上次的办法，翻墙，探路，来到楼下。这次白玉堂选择了南方丙丁火，踩着二、四、六、八、十上了台阶。他抓住铜环，向左拧了三下，然后，将身子俯下。门里"啪啪啪"打出三支镖来。白玉堂等了片刻，见再无动静，便迈步进了楼中。

进入楼内，白玉堂可是步步小心，处处留神。因为上次吃过一次惊，所以他这次格外留神。冲霄楼内雕梁画栋富丽堂皇，吊着的无数盏八宝琉璃灯更是把楼内映照得金壁辉煌。楼梯是转圈的游廊。白玉堂用刀尖探路，一路就上了三楼。

三楼正面是一尊大金佛。白玉堂东瞅西看，终于看到了大印。原来大印被一根铁链挂在了楼顶上，离地足有二丈五尺多高。

白玉堂琢磨了一下，自己绝对跳不了这么高。他想来想去，就看到了那尊金佛。如果站在那尊金佛的肩头，离大印也就八尺左右，凭自己的能耐够到大印应该不成问题的。到时，自己跳起来左手抓住大印，右手挥刀把铁链砍断，然后再来个鹞子翻身，跳上对面楼梯的扶手，就可以安然无事全身而退。

想到这里，白玉堂一提真气，就上了大佛了。他站在大佛肩头，双脚一点，便如离弦之箭飞到空中，一伸左手，正好抓住了大印。白玉堂右手抡刀，就砍铁链。没想到，硬是没砍动。

原来那铁链看着不粗，却是五金制造而成，不要说是白玉堂这把普通的单刀，就是宝刀、宝剑都奈何不得。这下，白玉堂麻烦可大了。他左手抓着大印，身子悬在半空。铁链往下一拽，正好触动了机关。只听见天崩地裂一般，三楼、二楼的地板全都闪开了，一直能看到一楼。

白玉堂没有办法，双手抱头就往下落。他准备掉到一楼再起身，可双脚刚刚落地，又触动了机关，一楼的楼板也翻了个儿。得，白玉堂又掉下去了。

下面有一张大网，白玉堂就落在了那网上。大网立即合拢，把白玉堂包在了网中。这套机关，白玉堂当初在陷空岛卢家庄上抓展昭时也用过。但这里的网不是陷空岛卢家庄上的网，这就是铜网阵。大网一兜，就触动了四面的消息。刹那间，四面的墙全部退到一旁，露出夹层里的内墙。

那内墙里藏的都是强弓硬弩，大墙一退，立刻放出。千万支箭如同暴风骤雨一般就射向了白玉堂。转眼之间，大名鼎鼎的白玉堂就被乱箭穿身，死在铜网阵内。

襄阳王赵珏正在和群贼饮酒作乐，突然看见大钟响成一片。大家都静了下来，观察其变。过了一会儿，铜牌落地，襄阳王一看，明白了，有人掉进铜网阵了。赵珏立刻招呼大家前往查看。

时候不大，群贼簇拥着赵珏来到了冲霄楼内。他们是走暗道而来，直接就到了铜网阵前。有人按动消息，将网放下。网内的白玉堂被射中了几百支箭，已经辨认不出人样，而且箭上都上了毒药，所以流出的血都是黑色的了。

三首真人刘道通把地上的单刀拣了起来，仔细辨认了半天，不禁大喜。他对赵珏说道：

"无量天尊！恭喜王爷，死者乃是锦毛鼠白玉堂。"

"何以见得？"

"王爷请看。"刘道通把剑递了过去，"刀把上有他的名字。"

赵珏看罢单刀，又让人查看了百宝囊，才确信无疑。赵珏不禁放声大笑，他命手下将白玉堂的尸首火化，而后将骨灰装入瓷坛，埋在楼下。赵珏要封白玉堂为镇楼大将军。

群贼纷纷附和，此计甚高。又可杀七侠五义的锐气，又可引七侠五义前来盗骨。到时，管教他们来一个死一个。

群贼之中有一人，叫做小诸葛沈仲元。他的心地不错，而且此人是沈虎的叔父。邓车陷害沈虎，他就怀恨在心，但迫于邓车的势力也无计可施。此刻他想，若真把白玉堂的尸骨埋在冲霄楼下，那七侠五义不是来一个死一个嘛。于是他说道：

"王爷，臣有话讲。"

"沈壮士请讲！"

"王爷，我认为将白玉堂的骨灰埋在冲霄楼下不妥。"

"噢，为何不妥？"

"王爷你想，白玉堂才二十岁，就死于非命，这是个短命鬼啊！把他埋在冲霄楼下，做镇楼大将军，太不吉利。而且，七侠五义得知此事，肯定会来盗取骨灰。到时候，三天两头来骚扰，咱们的王府还能安静吗？这对我们谋划起义大事也不利啊！"

"也是。那依你之见——"

"我看，不如埋得远远的。就埋在军山背后的五棵松盘龙岭吧。"

赵珏一听，连声称好。

为什么赵珏这么希望埋在军山背后的五棵松盘龙岭呢？占据军山的有个人叫飞叉太保钟雄。此人手中兵多将广，很有势力。赵珏想拉拢他，便封了他水军大元帅。但钟雄不买赵珏的账，听封不听令。因此，赵珏一直都不太喜欢钟雄。现在沈仲元提出要把白玉堂的骨灰埋在军山后面，七侠五义一定会去那里折腾，到时肯定少不了钟雄的事。这样一来，他们斗个两败俱伤，赵珏就可以渔翁得利。所以赵珏一听此计，非常高兴。

沈仲元又说道："我看这大印也不要挂在冲霄楼里了，到时七侠五义还不得三天两头前来折腾？军山背后有个寒潭，潭深不可测，潭水冰冷刺骨。不如将大印扔在潭中，他们就再也无法找到了。"沈仲元知道翻江鼠蒋平的能耐，但赵珏不知道，听了之后，不住称好。

于是，赵珏命邓车、刘道通和马道源带着大印和白玉堂的骨灰前往军山。大印扔入寒潭，骨灰交由钟雄埋葬。三人领命，前往军山。

这几天，白玉堂魂不守舍，颜查散已经觉得有些不对劲了。天刚亮，颜查散便奔到白玉堂的屋子。结果发现雨墨被绑，白玉堂已经不知去向。颜查散立刻感觉不妙，要出事情。等发现桌上白玉堂留的半封信，颜查散已经从头凉到脚，昏了过去。雨墨连忙喊来大夫，救治颜查散。

正在此时，公馆外来了四个人。这四个来的可真是时候，他们分别是钻天鼠卢方、彻地鼠韩璋、穿山鼠徐庆和南侠御猫展昭。他们办完了手头上的事，就立刻赶来了。

众人见到了颜查散。此时颜查散已经苏醒过来，两只眼睛哭得和桃子一样。众人一看，十分奇怪，忙问是怎么回事。颜查散哭着说道：

"老五他——他完了！"接着，把白玉堂的书信递了过去，人又昏过去了。

众人看过信后，不禁都悲痛欲绝。卢方当场昏倒，徐庆嗷嗷大叫，韩璋号啕大哭，展昭的眼泪哗哗地往下流。公孙策急得抓耳挠腮，却没有丝毫办法。一群好汉就在这里哭哭啼啼。

就在此时，蒋平赶到了。蒋平一进屋，看见大家哭哭啼啼，非常奇怪，就问颜查散这是怎么一回事。颜查散就把事情说了。谁知蒋平一听，小眼睛一瞪，说道：

"你们都说老五死了，尸体呢？你们谁见到他的尸体了？"

众人都是一愣，是啊，谁也没有见到他的尸身，怎么就这么确定呢？蒋平继续说道：

"我刚才进城的时候，还看到他了。一开始他还躲着我，后来被我逮着了，才老实交代。颜大人是不是不让他离开公馆，还派人看着他？"

"是啊！"

"他又说，为了去取大印，才将雨墨的手脚捆上，嘴堵上，还留了信。对不对？"

"对啊！"

·239·

"老五本来是想去取印的，可是根本就进不去。他不好意思回来，就准备先去东关转转，说过两天回来。让我先回来帮他说说话，求求情。"

蒋平这通话啊，把大家都给懵住了。其实这都是他现编的，他刚才到了公馆门口，已经问过官兵了。当时蒋平就知道，白玉堂肯定完了。但他想：如果大家都在这里哭哭啼啼伤心，还能干什么事？到时皇上交的任务完不成不说，搞不好都得死在襄阳。因此，蒋平才编了一通瞎话，把大家唬住。

蒋平吩咐下人设摆筵席，庆祝大家重逢。席间，颜查散等人神情呆滞，根本就没有心情吃喝。只有蒋平，又是劝酒，又是说笑话。吃完之后，蒋平就回房休息了。

卢方带着韩璋来到蒋平房内，问蒋平："老四，你真的看到老五了？"

"那还有假？你们就放心吧。"说罢，倒在床上呼呼大睡。

卢方一看，也没有办法，就带着韩璋退了出去。

过了一会儿，展昭也进来了。展昭问道：

"四哥，你要不把我当外人，你就和我说实话吧。"

蒋平知道展昭遇事老练，而且口风很紧。他先到门口看看四下里无人，又把门窗关好，才把真相说了出来。

蒋平说完，扑到床上，捂上两床被子，痛哭起来。展昭心中也是悲痛万分，一直坐在旁边陪着蒋平。蒋平一直哭到天黑了，才爬起来，说道：

"人死不能复生。我们都应该节哀顺便。我现在更担心的是襄阳王府到时派人前来用印，就麻烦了。我想今天晚上夜探襄阳王府。"

展昭一听，表示愿意陪蒋平一同前往。蒋平自然求之不得，两人收拾了一下，就赶往襄阳王府。

时间不大，两人进了襄阳王府，一起来到了银安楼上。银安殿里灯火通明，群贼正在那里说着大印和白玉堂的事呢。听着他们议论，蒋平和展昭才彻底知道了白玉堂是怎么命丧铜网阵的，又被埋在了哪里，大印被扔在了哪里……

蒋平听得眼泪都下来了。展昭心如绞痛，拔出宝剑，就准备冲下去。蒋平忙把他按住，使了个眼色。展昭心里明白，和蒋平一同离开了襄阳王府。

两人回到公馆，众人还在熟睡中。一夜无话。

第二天上午，襄阳王府就派人过来索要大印，说是要征调军粮。蒋平让门军出去就说颜大人身体不适，把来人挡了回去。但蒋平知道，这只是权宜之计。于是他对颜查散说道：

"大人，据我所知，那大印现在已不在襄阳王府内，已经被他们扔进了军山寒潭之中。因此，我想带人前去打捞。"

颜查散一听，连忙称好。蒋平把公孙策和韩璋留下了，带着卢方、徐庆、展昭和几名仆人，就赶奔军山而去。

临近中午，一行人赶到了军山背后的五棵松盘龙岭前。他们刚走了几步，就看见一座新坟。坟前立着块石碑，上面写着：大宋朝三品带刀御前护卫白玉堂之墓。

卢方一看，如五雷轰顶，当时就抱碑痛哭。徐庆更是号啕大哭，哇哇乱叫。

展昭看看蒋平，蒋平连忙上前，高声喝道：

"哭什么哭？你们都中了襄阳王的诡计了。他知道我们要来寻印，因此在必经之路上起了一座老五的假坟，就是为了动摇我们的军心。你们还真上当了。你们想啊，那坟能起得这么快吗？"

展昭也插话帮着蒋平。卢方和徐庆一听，都止住了哭泣。虽然还有些将信将疑，但不再哭哭啼啼了。

蒋平带着众人，一直来到了寒潭。这个寒潭足有一亩方圆，水面如镜，但深不可测，而且潭水奇冷，所以又叫做逆水寒潭。

翻江鼠来到潭边，先围着潭子转了一圈，找了个坡缓的地方，就把水衣水靠换好了，准备下水了。

卢方等人发觉潭水冰冷刺骨，都不禁有些担心蒋平。蒋平让大家放宽心，猛喝了两口烈酒，就一个猛子，扎了下去。

众人都在岸边焦急地等待着，等了很长时间，也没见蒋平出水。每个人的心里都在暗暗祈祷，希望蒋平平安无事。正想着，蒋平"哗——"浮出了水面。众人连忙上前，把他拉上岸来。蒋平已经冻得浑身直打哆嗦，牙齿磕碰乱响了。

卢方一看，连忙叫众人生火，又给蒋平披上数件衣服，将他搂在怀中。过了好一会儿，蒋平才缓过劲儿来，张口第一句话就是："冷！太冷了！"

大家都是打心眼里心疼蒋平，都让他不要再下去了。可印没找到，不下去怎么行。蒋平休息了一会儿，又下水了。

和上次一样，蒋平下去半天，也未见上来。卢方等得心急，就离开了潭边，四处走走。走了没多远，就听见树林中有人高声呼喊救命。

卢方顺着声音寻了过去，发现一个凶神恶煞的山贼正在欺负一个女人。那女人拼命挣扎，衣服都被撕烂了。卢方一看，火冒三丈，大声喝道：

"无耻毛贼，光天化日之下竟敢调戏妇女，还不快快住手！"

那个山贼一看来了人了，心中也有些慌张。他看卢方年纪已大，又有些胆壮，抓起身边的长枪，就刺了过来。卢方哪能给他刺到，一个闪身就躲了过去，顺手一拉，再使了个扫堂腿，就把那毛贼放倒在地。卢方一脚踏在那毛贼的胸口上，喝问道：

"你是什么人！"

"我是军山的一个小头目。"

"你们的头头是谁？"

"襄阳王御封的水军大元帅，飞叉太保钟雄。"

"我问你，前面那座新坟，是空的，还是实的？"

"是实的，是实的，那里面埋着白玉堂的骨灰。"

"此话当真？你怎么知道的？"

"千真万确。下葬那天，我就在场。"

卢方得知了真情，"哎呀"一声，翻倒在地。那头目一看卢方倒了，捡起长枪就跑了。那女人也早已跑得不知踪影，只留下昏倒的卢方躺在地上。

也不知过了多久，卢方才醒转过来。他想到白玉堂的离去，伤心欲绝，自己越想越伤心，最后解下裤带，挂在一跟树枝上，就准备上吊了。

正在此时，远处来了三个人。一个就是刚才那个女人，另外两个是男人，一个拿着斧子，一个拿着猎叉。那女人一看有人上吊，而且正是刚才救自己的人，连忙指挥两个男人将卢方救了下来。经过一番救治，卢方慢慢醒了过来。

那两个男人跪倒在卢方面前，说道："多谢老英雄救命之恩。请问，您尊姓大名？"

卢方定了定神，说道："我姓卢，叫卢方。"

"哟，您就是卢方卢大爷啊！"当下，两人把自己的身份也讲明了。

这两个男人，一个叫路宾，一个叫鲁英。那个女人是路宾的老婆，是鲁英的姐姐。他们三人，就住在军山后面的晨起望。平时，就以打猎为生。今天，路宾的老婆上山捡柴，不幸碰上了军山的喽兵，差点遭到凌辱，幸好被卢方所救。那女人回去喊来老夫和兄弟，没想到恰巧救下了卢方。

鲁英是个粗人，就问卢方为何上吊。卢方也不便隐瞒，就把白玉堂死的事说了。白玉堂下葬那天，路宾和鲁英都看到了。鲁英刚想讲那座坟里确实埋着白玉堂，突然看到路宾一个劲儿对自己使眼神，连忙把话题转了过去，问道：

"不知卢大爷到这里干什么来了？"

卢方就把到寒潭打捞大印的事说了。路宾和鲁英一听，连忙说道，当时他们扔印的时候，自己看到了，表示要去祝蒋平一臂之力。卢方一听，便带着他们来到了寒潭边上。

蒋平已经从潭中上来了，仍然没有捞出大印。卢方把鲁英和路宾引见给了蒋平。

路宾带着众人，来到寒潭的西北角，站在一块突起的石头上，指着下面说："那天，我看见一个老道就是在这里把印扔下去的。那印上还拴着一条红带子。"

蒋平一看，心中有数。他回到岸边，又喝了几口酒，站在路宾指引的地方，第三次跳入潭中。

时候不大，蒋平拿着大印，钻出了水面。众人见大印已经找到，非常高兴，纷纷向路宾、鲁英表示感谢。路宾、鲁英十分热情，邀请大家去寒舍一坐。大家忙了一天，也确实饿了，便来到了他们住的地方。路宾住的地方有五间房子，他把大家领进屋子，便去忙活着做饭。

饭做好了，大家一边吃一边聊。卢方就觉得晨起望这个地方不错，如果以后和军山上的山贼交起手来，这里可以落脚存身。而且路宾、鲁英正直可靠，到时也可以请他们帮忙。想到这里，卢方便把自己的想法对他们说了。鲁英、路宾一听，十分高兴，拍着胸脯表示，一定竭尽所能，帮助官府办事。

吃过饭后，日头已经偏西。众人告辞，赶回了公馆。

世界文学名著宝库

# 第二十三章 智取军山

　　颜公馆这里，已经是等得非常焦急了。自从卢方他们走了后，襄阳王府已经派人前来要印八次，公孙策使出各种办法，加以阻挡。最后，襄阳王府的人留下话：如果点灯之前，还不给用印，就准备踏平公馆。眼看就要天黑了，这可把公孙策给急坏了，左等右盼，终于把卢方他们给盼来了。

　　公孙策把情况一说，卢方说道："不必着急，大印我们已经找到了。襄阳王府的尽管来吧！"

　　公孙策领着大家进了公馆，去见颜查散。颜查散一看大印已经找到，也是松了一口气。正在此时，襄阳王府的人又来了。颜查散换好官服，振作精神，传令击鼓升堂。

　　襄阳王府的人趾高气扬地就走了进来，宣称要用印进粮。他们本以为要给颜查散难堪，没想到颜查散举起大印，就把公文给盖了。两人还在诧异之余，颜查散已经传令，将他们乱棍打出。

赶走了襄阳王府的人，颜查散又问蒋平，到底有没有找到白玉堂。蒋平一想，不行，还得瞒着他，就编了通谎话，把颜查散又给哄过去了。蒋平心里寻思，还有大事要办呢：我们用了印，襄阳王府得知后，肯定不会善罢甘休，今天晚上必有情况。于是蒋平便做了一番安排：他让雨墨保护颜查散，躲在耳房；让南侠假扮钦差，坐在寝室；让韩彰、徐庆埋伏在跨院；又让卢方带一百兵士，在公馆外守候；最后，他穿上雨墨的衣服，藏在屋内。

果然不出蒋平所料，到了半夜时分，公馆的房顶上出现了两条黑影。来的是谁？一个是邓车，一个就是那小诸葛沈仲元。

襄阳王赵珏得知颜查散已经找到了大印，非常震惊。当晚，他就派出邓车和沈仲元，前来行刺颜查散。沈仲元往四下里一观察，就发现有埋伏，心想：邓车啊邓车，今天晚上你就死在这里吧。邓车立功心切，又自持武功高强，也没有太注意周围的环境。他同沈仲元交换了一下意见，就跳了下去。邓车蹑手蹑足来到寝室窗前，他用舌头点破窗纸，往里面张望。只见颜查散正在灯下看书，旁边还有个小书童，正在打盹。邓车看罢，来到门前，轻轻一推，发现门没有锁。邓车闪身来到屋内，举刀就往颜查散身上砍去。

突然，颜查散回过头来，把书朝邓车扔去，正好砸在邓车面门上。邓车就是一惊，知道不好，转身就往门口跑。蒋平化装成的小书童一晃分手峨嵋刺，就向邓车胸口刺去。邓车往后一躲，躲过了胸口，没躲过肚子。邓车负伤，拼命冲出了门外。

跨院里埋伏着徐庆和韩彰，他们听见这边有响动，就抄家伙冲了出来，正好赶上邓车。双方没交手几下，邓车虚晃一招，调脸就往房顶上蹿。这时蒋平和展昭都追出来了，看见邓车上了房顶，也都跟着上了房顶。

展昭站在房顶上，放眼望去，四下里都不见邓车身影，不禁有些奇怪。按理说，邓车不可能跑得这么快啊！何况他的肚子上又受了伤。

邓车确实没有跑远，他就趴在房顶的背面。他和展昭之间隔着个房梁，所以展昭看不到他。展昭正在纳闷，就听有人喊道："邓庄主，别老躲在后坡了。那里太危险了，一不留神就被展昭看到了。快跑吧！"

喊话之人不是别人，正是小诸葛沈仲元。他一直记恨邓车陷害沈虎之事，所以他要把邓车置于死地，以解心头之恨。

邓车一听，这不是帮倒忙嘛！心里就暗骂沈仲元。展昭一听，爬上房梁一看，原来躲在这里，一晃宝剑，就冲了过去。邓车一看没办法了，打吧。他本来和展昭差得也不是太多，但现在身上有伤，又有些慌张，没打几个回合，就被展昭一脚给蹬下了房顶，一直滚落在院子里。

守着院子里的众人一拥而上，把邓车给活捉了。颜查散立刻传令升堂，夜审邓车。

邓车一看这架势，也别冲好汉了，问什么就说什么吧，便把什么都招了。颜查散听完邓车的口供，又问道："邓车，我且问你，你可知道白玉堂的下落？"

"他啊？他死在冲霄楼里了。"

"啊？他是怎么死的？"

邓车就把白玉堂死的事情详细说了一遍。他刚说完，整个大堂乱成了一团。颜查散和卢方都昏厥了过去；韩彰，徐庆大哭不已。蒋平一看，上去就抽了邓车两个耳光，让官兵将他押了下去，严加看守。

这下可把蒋平给忙坏了，他挨着个地劝。劝完了这个，那个还在哭；劝完了那个，这个又哭开了。劝到最后，蒋平也急了，他把案桌一掀，大声喊道：

"你们不要再哭了！老五已经死了，你们是不是也想哭死啊！"

大家一惊，都愣在了那里。

颜查散边抹眼泪边说："四哥你为什么要骗我们啊？老五他已经死了，我们能不伤心吗？"

"打仗能有不死人的吗？老五一向心高气傲，目中无人，他这次不死，以后也会出事。你们哭，哭有什么用？哭，老五就能活了吗？你们这样哭哭啼啼，斗志涣散，正好上了襄阳王的当。有本事，杀了赵珏和那帮贼，替老五报仇。哭有个屁用！"

大伙一听，蒋平这番话说得有道理啊！于是都止住了哭声。蒋平接着说道：

"颜大人，你是钦差大人，奉了皇上的旨意的。现在一定要保重身体，想出对策，率领大家制服襄阳王。老五的骨灰我会想办法取回，安葬到原籍的。到时，也算尽了咱们兄弟的情谊。"

颜查散点头称是。想起自己和白玉堂曾经的交往，又不禁悲从中来，但为了顾全大局，只好强忍着不再哭了。

蒋平让大家都回去休息，明日起来，再想对策。众人哭过这么一场，也都累了，便各自回去歇息了。

第二天一早，蒋平等人用过早餐，就来向颜查散请安，但惟独没有见到徐庆和展昭。蒋平就知道事情不妙，他冲到牢房，向看守邓车的头目打听。

那个头目说道："昨天晚上，徐三爷冲进了牢房，活生生把邓车给掐死了，又抠下他的双眼。说是要赶奔军山，给白五爷上坟。我本来要给你送信的，可徐三爷说我要是敢送信，就打断我的腿。后来，我看见他拽着展老爷，一起出馆走了。"

蒋平一听，急得乱跳。心想：这个徐老三啊徐老三，成事不足，败事有余。你去军山，那就等于羊入虎口啊！

蒋平急忙跑到颜查散屋中，向颜查散汇报了情况。颜查散一听，脸也是变了颜色，一时之间，手足无措。蒋平说道："颜大人，依我之见，那襄阳王行刺未果，一定不会善罢甘休的。他很快就会领兵围剿公馆，因此，我劝你还是先搬到武昌府。然后，写奏折进京，请皇上速发重兵，捉拿赵珏。我和卢大哥马上赶往军山，打听徐庆和展昭的下落。"

· 249 ·

颜查散一听，点头称好。立刻吩咐各路人马，开始准备行动。

蒋平又让北侠欧阳春和黑妖狐智化设法打入军山，以做内应。他和卢方便赶奔军山而来。

欧阳春和智化谎称自己是从湖广武昌府而来，要到云南昆明府三老庄而去，路过军山，特来拜访。钟雄一看，来了两位大名鼎鼎的英雄，十分高兴，热情款待。欧阳春和智化就在军山上住了下来。

那钟雄原是湖南人。此人非常不简单，曾经文中过进士，武中过探花，是人中的魁首。他手中一柄钢叉使得是出神入化，所以被称为飞叉太保。钟雄曾经在朝为官，由于他为人正直，刚正不阿，所以深受手下爱戴。但也正因为如此，他得罪了太师庞吉。一次，庞吉诽谤他图谋不轨，欲反朝廷。当时的皇帝是赵光义。赵光义不问青红皂白，就传旨将钟雄家满门抄斩。

钟雄得知消息之后，没有办法，只好带着家眷，逃到军山，占山为王了。因此就钟雄本心来说，他并不想与赵珏勾结在一起，对抗朝廷。但形势所逼，他也没有办法，目前他与赵珏的合作也就是彼此相互利用。借助赵珏的势力，这些年来，钟雄的实力越来越雄厚。

欧阳春和智化在军山上住了几日，与钟雄又是论文，又是较武，相谈甚欢。钟雄也非常欣赏两位，当下，就要与欧阳春、智化结拜为兄弟。欧阳春本来还有些犹豫，他不想与反朝廷的人有所瓜葛。但后来智化暗示他，还是应该以大局为重。欧阳春便与钟雄、智化三人结拜成了兄弟。钟雄为大，欧阳春为老二，智化为老三。

钟雄又将他们引入内宅，同内人和孩子见了面。智化一看，钟雄的内人和孩子真可谓妻贤子孝，若是他日两军交战，伤及无辜，甚为可惜啊。智化打定主意，一定要设法说服钟雄，让他弃暗投明，免动干戈。

第二天，钟雄把山上的各位寨主和大小头目都召集到了前厅，高声宣布："从今天开始，咱们军山就有三位头领了。我是一个，欧阳春是老二，智化为老三。智化参赞军机，统领军务。"

就这样，欧阳春和智化便在军山上站稳了脚跟。智化找了个日子，偷偷来到了后山的晨起望，把事情经过对路宾和鲁英讲了一遍，并给蒋平写了一封信，将山上的情况都写在了信里，让蒋平回来后，就调拨兵马，准备攻打军山。

蒋平带着卢方从水路上了飞云关，在飞云洞中正好发现了被关在里面的徐庆。蒋平顺手把徐庆给救了出来，等他们再想去救展昭的时候，已经来不及了。没有办法，只好作罢。蒋平带着众人先回到了五棵松盘龙岭，把白玉堂的骨灰取了出来。

在盘龙岭，他们遇上了白面判官柳青。柳青也是前来盗取白玉堂骨灰的，大家约好，一起攻打军山。

第二天，蒋平和柳青来到了后山晨起望。路宾把智化留下的书信交给了蒋平，又把军山上的情况说了。

蒋平看罢，十分高兴。他眼珠一转，又想出一条妙计。

自从和欧阳春、智化结为兄弟，钟雄非常开心，天天设宴款待，日日饮酒阔论。这天，三人正喝着呢，喽兵前来报告，说白面判官柳青前来入伙。

钟雄有些诧异，便于智化他们商议。智化一听，就知道肯定是蒋平安排的计策，于是说道：

·251·

"大哥，要想成大事，就要广纳天下贤才。像白面判官这样的人物，我们可是求之不得啊！"

钟雄觉得有理，就把柳青请到了山寨。

没过几天，铁面金刚沙龙、二侠丁兆蕙也相继来到了军山。

连日来，不断有高人前来投奔，钟雄心里十分高兴，摆下筵席，招待众位英雄。席间，趁着钟雄高兴，智化和欧阳春婉言相劝，让钟雄把展昭放出来。钟雄心想，自从北侠和黑妖狐来了之后，这些江湖上有名的侠客接踵而至，看来听他们的没错，就把展昭给放了出来。

展昭来到大厅，不禁有些吃惊。智化一个劲儿对他使眼色，说道：

"展老爷，人往高出走，水往低处流。你保那无道昏君有什么奔头？钟大帅胸怀大志义薄云天，我们都来投奔于他。你还等什么呢？"

展昭会意，开始假装不太情愿，后来智化又劝了一番，展昭就同意了。

于是，七位英雄冲北磕头，结成金兰之好。按照年龄依次排了个顺序：老大——铁面金刚沙龙；老二——飞叉太保钟雄；老三——北侠欧阳春；老四——白面判官柳青；老五——黑妖狐智化；老六——南侠展昭；老七——二侠丁兆蕙。

蒋平见众位英雄已经成功打入军山内部，便赶往武昌府，把情况禀告给了颜查散。两人合计一番，决定准备战船，发兵三万，攻打军山。蒋平又通过路宾，把这些情报告诉了智化，定于腊月三十和大年初一，里应外合，发起总攻，一举拿下军山。

智化得到消息，就和大伙儿商量。一来时间已经不多，二来大家都觉得钟雄为人不错，造反也是迫不得已，所以大伙儿都想将钟雄劝降。这样不仅可以免去一场兵祸，还能削掉赵珏的一支臂膀。大家商量好了，智化又通报给了蒋平，蒋平也觉得这样最好。

日子一天天临近春节了，天气也越来越寒冷了。这年冬天特别冷，鹅毛大雪就没有停过。转眼到了年三十，钟雄传令，全山放假五天，大家尽情吃喝玩乐。全军山的人听了，无不兴高采烈。钟雄在自己的书房就摆下了筵席，宴请六位英雄。大伙儿边吃边聊，从中午一直吃到晚上，还没吃完。智化心里就有些着急，因为这已经是约定好的攻打军山的日子了。今天说什么也要想办法把军山的防务先给解除了，方便官兵攻山。智化假借出恭，便出了书房。

智化来到前八寨，一看，这里的喽兵一如往前，严加守卫。到了右八寨，也是如此，个个精神抖擞，站在大雪之中，没有丝毫懈怠。智化颇为奇怪，就问站岗的喽兵，喽兵回答说是飞刀将祝融的命令。说是武汉三镇出现了官兵，要我们加强戒备，不得有半点松懈。虽然现在是过年，但也不许喝酒，不许吃肉。

智化又问道："祝融？我怎么不认识这个人啊？"

那喽兵回答道："您上山的时候，他正好被襄阳王传去议事。今天，他刚刚返回山寨。"

智化一听，这下可麻烦了。这样的人一定要设法除掉，不然肯定会坏了我们的大事。想到这里，他对站岗的喽兵们说道："这么冷的天，又是大过年的，凭什么不让我们喝酒吃肉？他祝融算什么东西？走，都回屋喝酒吃肉去，有什么事，我智化顶着。"

众喽兵一听，欢天喜地，连声感谢智化，一窝蜂都跑回去喝酒了。智化走到哪里，哪里的防卫就全部解除了。智化将外面都安排好了，又回到了书房。他见了钟雄，把祝融回来的事说了一遍。

·253·

钟雄一听，十分不悦，说道："什么？那个祝融回来了？妈的，有他在，我们这年都过不好。"

智化一听，就觉得其中必有文章，于是问道："您这话是什么意思？那祝融是个什么样的人？"

"他是赵珏派来监视我的。赵珏和我联盟，也是看中了我的实力。表面上封我为水军大元帅，实际上是想吞并我的兵马。因此，他在我身边就安排了祝融这个人，时刻监视我的举动。他妈的，早晚我要把那小子给干掉！"

大家一听，恍然大悟，心中都有了数。几个人又说说笑笑，轮番向钟雄敬酒。

又喝了一会儿，从外面进来一人。众人一看，此人四十多岁，络腮胡子，面目凶恶，披着黑斗篷，挎着一把大刀。此人不是别人，正是那飞刀将祝融。

　　祝融进屋，一看这么多人在喝酒，就有些戒备，他冲着钟雄不以为然地说道："大帅，我回来了。"

　　"噢！什么时候回来的？"

　　"时间不长，刚到一会儿。大帅，我有事跟你讲。"

　　"你说吧。"

　　"这——恐怕不太方便吧，是不是到一个僻静之所，我再……"

　　"有什么不方便的，都是自己人。有什么话你就说吧。"

　　"大帅，据我所掌握的情报，武汉三镇一带的官兵突然增多，并且在源源不断地向军山开来。请大帅定夺。"

　　"区区一些官兵，有什么值得大惊小怪的？兵来将挡，水来土掩，你放心，到时本帅自有办法对付。"

　　"大帅，你可不要大意啊！"祝融看了看四周坐着的英雄，"特别是要注意身边的人啊，人心隔肚皮啊！"

　　钟雄一听，脸就阴了下来："祝将军，你这话什么意思？这大过年的，存心找不痛快？"

　　祝融一看，再说下去非翻脸不可，一甩袖子，说了声"告辞"，转身就出去了。

　　钟雄看着他的背影，气得一仰脖，灌了一杯酒，骂道："要不是因为襄阳王，我早就把你给宰了！"

　　智化一看，连忙劝酒。其他的人一看，也纷纷劝酒，让钟雄不必与祝融一般计较。最后，终于把钟雄灌得酩酊大醉。

　　柳青一看，掏出熏香，点着了，对着钟雄的鼻子熏了熏。这样，钟雄就是睡到明天中午也醒不了了。

　　智化让北侠和南侠在前面开路，铁金刚沙龙在后面断后，其余几个人轮流背钟雄，就准备将钟雄背出军山。大家怕钟雄给冻坏了，又给他裹了几床被子，这才出门。

一路之上，喽兵都已经被智化支走了，并无阻挡。一直走到了飞云关，突然传出一声炮响，伏兵四起，把众位英雄给围了个结结实实。

都到了此时，也没有什么好说的了，杀吧！大家操起家伙，就冲入人群，砍杀起来。

带领这队人马的正是祝融。众位英雄背着钟雄往外走，被人看到了。此人是祝融的心腹，连忙通知祝融。祝融立刻带领人马，赶到在飞云关伏击。

祝融手下虽然人多势众，但哪里是众位英雄的对手。在这生死存亡的关头，谁都不敢含糊，大家都使出浑身解数，拼命杀敌。可怜那些山贼，如同瓜菜一般被砍杀得七零八落。

智化杀着杀着，突然想起一件事来。他让大家先顶着，并约好在晨起望相见，便又往山上跑去。

智化去哪里？他去接钟雄的家眷。如果明天官兵攻山，保不准会伤了钟雄的家眷。到时钟雄肯定怪罪他们一辈子，再想劝降钟雄，几无可能。所以，智化是一定要把钟雄的家眷接下来的。在满天大雪中，智化撒足飞奔，一口气来到了内宅。

此时，钟夫人已经知道了智化他们的身份，得知丈夫被劫，简直如同五雷轰顶，痛不欲生。她正在哭泣不已，突然看见智化进来了。钟夫人一看，哭着喊道：

"今天，我们一家都要死在你们这些英雄好汉的手上了。不用你动手，我自己就死给你看！"说完，钟夫人就往墙上撞去。

智化一看，连忙把钟夫人挡住。智化和颜悦色地说道：

"嫂子，你是知书达理的人，什么道理都是明白的。哥哥现在不管怎么说，都是对抗朝廷的反叛之人。现在，大宋的官兵已经将军山团团围住，剿灭军山乃是举手之劳。我们这样做，主要是为了对付襄阳王赵珏。所以，只要哥哥归降朝廷，我保他不但没有性命之虞，还有享之不尽的荣华富贵。嫂嫂，时间紧迫，现在不是说话的时候，你收拾东西，快快跟我下山吧。"

钟夫人一听，觉得也没有更好的选择了，便收拾了东西，召集了孩子家眷。一行人坐上马车，就赶往晨起望。

一路之上，就看见军山背后全是大宋的官兵，兵营一座连着一座。时候不大，智化就领着众人来到了路宾的家。这里已经被改成了中军大账。

蒋平听说智化来了，连忙迎了出来。蒋平将钟雄的家眷都安排妥当，带着智化就进了屋。智化一看，欧阳春、展昭、丁兆蕙、柳青、沙龙、卢方，一个都没有少，都在这里。还有一个军官模样的人，智化并不认识。蒋平便做了引见，原来，他就是带军的五城兵马司冯总兵。正是他，带着人马，将欧阳春他们救了出来。

智化也讲述了过往的经历，一行人便进了里屋去看钟雄。钟雄此时仍未醒来，柳青便拿出了解药，将钟雄熏醒。

过了一会儿，钟雄醒转过来。他定睛一看，不由吃了一惊。智化说道：

"大哥，您醒了？"

"兄弟，我这是在哪里？"

智化便把事情经过说了一遍。钟雄一听，勃然大怒，挣扎着就要起身回山。智化好说歹说，最后跪在地上苦苦哀求，也无法说动钟雄。众位英雄一看，也纷纷劝说，最后大家都跪倒在地，恳求钟雄弃暗投明。钟雄看到这种局面，也不禁有些心动。但一想到自己一直被蒙在鼓里，而且是被劫出军山的，就火冒三丈，不肯就范。

蒋平又把钟夫人和钟雄的儿女接到床前，让他们劝说钟雄。最后，钟雄终于架不住众人的苦口婆心，答应归顺朝廷。

蒋平说道："现在的首要大事，是收复军山。依我之见，最好不要兵戎相见。如果军山兵马能归顺投降，不但既往不咎，还能论功行赏。大帅，你看如何？"

钟雄说道："这件事就交给我吧。此山寨是我一手建立起来的，我说话，还是管用的，你就等着听信吧。"

钟雄说罢，就带着众位英雄朝军山赶去。不一会儿，众人便带着人马来到了飞云关。守关的喽兵一看有人来了，纷纷拔刀拽剑，严阵以待。

钟雄在下面喊道："弟兄们，是我啊！快快开关！"

喽兵一看是钟雄，不敢怠慢，立刻报于亚都鬼文华。文华从钟雄开始造反，就跟随着钟雄，是钟雄的亲信。一听说钟雄回来了，文华立刻吩咐打开关门。

蒋平和冯总兵商议了一下，决定把兵马先驻扎在关外，钟雄领着众位英雄先进了关。

钟雄领着众位英雄来到大厅，吩咐手下，将各大寨主，大小头目，都召集到前院听令。

时候不大，都到齐了。钟雄站在台阶上，对着众人朗声说道："各位兄弟，我钟某人弃暗投明，已经归顺了朝廷。从此，军山就是大宋的疆土了。你们愿意跟着我的，可以继续跟着我干；不愿意跟着我的，发给银两，你们各奔生路去吧。"

钟雄说完，底下鸦雀无声。因为祝融也在，大家都不好表态。蒋平见状，对钟雄说道：

"大帅，我看不如让愿意跟着你的站在右边，不愿意跟着你的站在左边，这样不就一清二楚了嘛？"

钟雄一听，立刻传令下去。亚都鬼文华第一个站在了右边，紧跟着，一大半都站在了右边。

祝融一看，急了，"噌"就蹿到了左边。他大声嚎叫道："各位，我们都是军山的人啊！我们是要保襄阳王的，不能跟着他走啊！我看谁敢跟着他走！"

有些人慑于祝融的淫威，站在了左边。甚至有些本来站在右边的，也颤颤巍巍地走到了左边。

蒋平一看，就冲北侠欧阳春使个眼神。欧阳春明白，是该动武了。他拽出龟灵宝刀，大叫一声："祝融小子，不要猖狂！"说罢，将宝刀掷了过去。

这一招出乎所有人的意料，祝融更是猝不及防，还没反应过来，宝刀就飞到了眼前。"扑哧"一声，便将祝融的脑袋砍了下来。

北侠捡起宝刀，擦了擦血，朗声问道："诸位，你们要跟谁？"

没有了祝融，众人都吵吵嚷嚷，喊着要跟随钟雄，都站在了右边。

转眼之间，整个军山，都归顺了大宋。